美術の森の番人たち

酒井忠康

求龍堂

美術の森の番人たち

目次

本文扉　作品
I　村井正誠《月影》一九六二年　リトグラフ、紙　世田谷美術館蔵
II　村井正誠《黒い太陽》一九六二年　リトグラフ、紙　世田谷美術館蔵
III　村井正誠《不詳》一九八二年　リトグラフ、紙　世田谷美術館蔵
IV　村井正誠《不詳》一九八〇年　シルクスクリーン、紙　世田谷美術館蔵

はじめに

美術の森には、創作にかかわる作家たちのほかに、美術館や画廊や美術系大学で仕事をもつ人、あるいは新聞・雑誌の記者や編集者、そして美術批評家など、さまざまな領域の人がいます。

ここに収めたのは、創作にかかわる作家たちを除いて、わたしがこれまでに美術の森で出会い、お世話になり、懇意に接した人たちについて書いた文章です。一本にするに際しては、必ずしも厳密ではありませんが、いくつかわたしなりに約束を用意しました。

一、すでに故人となっている人
一、いくども会って話を交わした人
一、人柄と仕事に共感を覚えた人
――などです。

どの人も自分の持ち場で、それぞれ評価すべき仕事をくりひろげた人たちです。そのいずれの人たちとも、わたしは仕事の上で交誼をもち、忘れ難い出会いの機会にめぐまれました。そして長いつきあい、短いつきあい、顧みるとさまざまな行き来がありました。

ですから各文章の執筆の契機や文章の形もまちまちなものになっています。追悼文のように短いけれども、急遽、応じたものがあるかと思うと、旅の途次に、たまたま想い出して比較的のんびりとした気分で回想したものや、また遺《のこ》された著書や書簡などを手がかりにして、遠い記憶を掘り起こした文章なども入っています。

そうした意味で、美術の森で出会った人＝番人たちについての、わたしの記述は、相手とのかかわりの遠近にも、また執筆の契機などにもいささかなりと左右された面があるように思われます。

といっても、すべてその人を惜しむ――わたしの率直な気持ちをつたえる人物スケッチのようなものになったのではないかと思っています。はたして上手く描けているか、そうでないかは、もとより読者の判断にまつほかありませんが、ここに紹介した人＝番人たちは、美術の森を豊かで風通しのいい世界にしたい――と、それぞれが自分の持ち場で思い切りふるまっていたのは事実です。

その姿を目撃することになった、これは、わたしのささやかな記録と解して貰えたらこの上なく嬉しい。

本書の構成について少々記しておきましょう。

序

わたしが大学を出て就職するまでの話です。個人的な感情を語っていて、いささか気恥しさを感じるところがあるのですが、どういう経緯で美術の森の番人となったのかを知っておいてほしい――との思いを込めた一文です。

おそらく人生のうちで見えない将来に不安を覚え、落ち着かない日々を過ごした時期であったのでしょう。

顧みると一種の「曲がり角」でもありました。

I

わたしの職場の先輩であり、また同僚として仕事をした人たちです。いずれも時期的な差はありましたが、わが師・土方定一門下の人たちでしたから（その意味で）、わたしは有形無形さまざまなことを手ずから教えられ、比較的長いおつきあいとなりました。

II

美術館をとおしての仕事のほかに、各種展覧会の審査や会議あるいはシンポジウムなどで、ご一緒した人たちです。また、わたしが個人的に敬愛の情をもって接した人や批評の現場で何かと行き来のあった人たちですが、いずれもわたしよりは年長の方々ばかりです。

こうして想い起こすと、七〇年代、八〇年代の景気のいい時代に、わたしが国内外の美術展や公立美術館の開設などの仕事の一端にかかわることになったのは、ここで触れた人たちとの交誼によったものが多くあります。

III

世代的にもある種の近しさを覚えて、相互に忌憚《きたん》のない意見を交わしてつきあった人たちです。想い出を共有しているのでもっと書くべきことがあった――と悔いを残した追悼文も入っていますが、あえて書き改めることはしませんでした。なかには少々生き急いだのではないか、そんな印象を抱く人や、独特の個性で忘れがたい人たちが混じっていますが、単なる墓標とすることは避けたつもりです。

IV

学生時代の師のことを書いたものです。懶惰《らんだ》な学生でしたので師とのかかわりは希薄なままに卒業してしまいました（序――にも書いたように）。内容的には、わたしが美術の森の番人となって以降の話が主ですが、いずれも懐かしい想い出となっています。

以上、五章に分けてみました。あくまでも便宜的なこころみです。そのつど求めに応じて書いた文章がほとんどで、長いもの短いものがあって一様ではなく、アプローチもまたいろいろです。文末にすべて典拠を示し、また加筆・修正を記しましたが、そうでないものは新稿です。

序——美術の森の番人となる

不死性は他人の記憶の中、あるいはわれわれの残した作品の中に生き続けることなのです。
——J・L・ボルヘス『語るボルヘス』木村榮一訳（岩波文庫）

1

いきなり人生の曲がり角などと言うと、歌謡曲めいた気分に誘われて湿っぽくなる。しかし、あらためてふりかえってみると、人生の節々で、わたしはためらいがちな人間だったように思うし、そうしたときに、わたしに選択の標識を示してくれた人たちがいて、その人たちの顔が走馬灯のごとくに思い浮かんでくる。人生とはまた妙なものである。あっちにも行けた、こっちにも行けた——と、いまとなっては勝手な想像にあそぶ。しかし当初はどうだったかというと、曲がり角どころか、けっこう切羽詰まった感じで右往左往していた、というのが正直な感想である。

さて、本題に入らなくていけない。

話の順序として、わたしが慶應義塾大学文学部に籍を置いたところから始めることにしたい。

その年は、まさに六〇年安保闘争の真っ盛りのときであった。あらゆることに衝撃を受けた。そのせいばかりではないが、いま思うと、ろくすっぽ勉強もしないで、わたしはふらふらしていた。

二年になるときであった。大学で何を専攻するかを決めるときに、わたしはまったく自主性のない選択をした。他の学部へと転部した利巧な連中もいたが、わたしはボーッとしていたので取り残され、東洋史学科にでも進んでユーラシア大陸をめぐるか——と、そんな妄想というか漠然とした気分に浸っていた。

ところが、そんなわたしのたよりなさを見透かしたかのように、あるクラスメートが、美学美術史科というのがあって、みなして面倒をみるから——と言って、わたしを誘ってくれたのである。

文学部の美学美術史科といっても、何を学ぶところなのか、皆目見当もつかなかった。まして一般の人に説明するのも厄介で、説明したところで、たいてい、ヘェ——と怪訝そうな顔をされるのが落ちであった。現実的な意味で、まるで世のなかの役に立ちそうにもない学科を専攻して、わたしは別に、しまったなあ——とは思わなかったが、やれギリシア彫刻がどうの、イタリア・ルネサンス美術がどうの——と、いわれてもピンとこなくて、ただ、凄いなあと感心してスライドの画像を眺めているという授業であった。

生まれ育ちのちがいというのか、わたしは一種のカルチュアー・ショックを受けていたことはまちがいない。二年、三年、四年とアルバイトのないときはズルズルと下宿にいて本を読み、ときどきやってくる友だちと街をぶらつき、ジャズ喫茶や映画館に足を運んだりしていた。そうでないときの多くは、雀荘で小さな賭けをし、パチンコ屋で玉を弾くか、とにかく碌でもない日々を過ごしていた。ふりかえってみると、いかに無為の時間を費やしたか知れない。

そんなわけだから授業には、あまり顔を出さなかった。そのせいで四年になったときには、取得の単位がかなり多く残ってしまった。

件《くだん》のクラスメートたちに援けられて、わたしは卒業だけはしておきたい、と考えるようになっていた。だから出席も多くなったが、かなり焦った毎日でもあった。

周囲を見ると、「就活」に忙しい。わたしはどちらかというと、モラトリアム人間の類に属していたので就職には積極的なほうではなかったが、しかし、そうはいっても食っていく算段だけはつけておかなくてはいけない。学部の先輩Ｉ氏のいる某出版社を訪ねて問い合わせると、ことしの新卒は採らないというし、他にも当たってみたが、すべてダメであった。

さて、どうしようか――ということになった。そのときに、たまたまわたしの近しい知り合いが、東京のとある出版社を紹介してくれて、そのツテで勤めも決まり、四月から出勤していい――ということになった。

ところが、いざ、そうなってみると（判然とはしないが）、世間的な場でまともに仕事を始めることを拒否する神経がはたらいて、しばらく自分を見つめてみたいというか、とにかく臆病風に吹かれて、わたしは尻込みしてしまったのである。

医者の伯父から「慢性胃潰瘍」の診断書をつくってもらい、円満に事の始末をつけて、就職はとりやめにしてもらった。

これは自分の至らなさから生じた曲がり角であった。

迷惑をかけた人もいて、わたしの心は痛んだが、まあ、何とかなるさ――と、しばらく郷里（積丹半島の付け根にある漁師町余市）で頭を冷やすことにしたのである。

＊

積雪の郷里であった。気まぐれに晴れた日もあったが、何となく不機嫌な季節で落ち着かなかった。

実家ですごしていたある日のことである。

父の旧い友人で、そのとき教戒師（網走刑務所）をしているという人が、偶然、その人の家（寺）にもどる途中に立ち寄った――といって紹介された。わたしがしばらくぶらぶらしていると知って、「どうだね、タダヤス君、二、三年ぼくのところにきて、教戒師の見習いをしてみる気はないかね――」といわれた。

要するに一種の修行なのだが、考えようによっては時間があるので勉強もできるということらしかった。まあ、ヤケノヤンパチで、わたしは新プラトン主義の祖・プロティノスの『エネアデス』をひっかきまわしたような、まるで論の態をなしていない卒論を提出して大学を出たばかりであった。だから教戒師もいいかなと思った。何か外国語を身に着けて、地球の果てのどこかの国へ行く――などと、柄にもないことを想像して、一刻の間、わたしは美しい夢に浸っていたのである。

しかし、わたしは悶々とした先の見えない現実から脱出する勇気に欠けていた。郷里の浜辺を散歩したり、徹夜で近所の人たちとの麻雀につきあったりして時間をつぶしていたのである。

＊

大学の八代修次先生から電話を受けたのは、それから間もなくのことであった。

とにかく一単位（「音楽美学」）足りないのが判ったので、かたちだけでもテストを受けに大学にきてほしいというのである。つまり仮免の卒業といったところなのだ。ほかにも折り入って就職の話があるというではないか――。

そんなことでわたしは急遽上京することになった。いまとはちがい、北海道の田舎からでは青函連絡船をつかって、まるまる二日を要する長旅だ。

いわれたように大学へ行って追試験を受けた。そして研究室に八代先生を訪ねると、そこに大学の先輩で神奈川県立近代美術館（通称＝鎌倉近代美術館）の学芸員をしているという辻本和之さんがいて紹介された。三人で大学のそばの喫茶店に行き、そこで八代先生の話を聞くことになった。

じつは——といって、こんな話をされたのである。

「鎌倉近代美術館」の土方定一さんから電話があって、新卒の生徒を一人よこしてほしい、といわれ、わたしを思い出して推薦したのだという。辻本さんが、こんどイタリアへ留学（画家となるべく）することになったので、その後任ということらしい。ところが急いでいるので来週にでも面接をしたいといわれたという。

断る、断らないはともかく、面接だけには行ってほしい、大学とのかかわりを大切にしておきたいからね、と念を押されたのである。

面接の二日まえのことだった。辻本さんが自宅に来てください、というので伺うことになった。錦糸町の大きな外科医院の一室に案内されて、土方さんとの面接の予行練習をしたいという。びっくりした。椅子の座り方から身じろぎの一切をチェックされた。そういう応え方はしないほうがいいとか、余計な話や小賢しいことは絶対にいってはいけない、と注意された。

帰り際には、「学生服を着て行くのがいいでしょうね」と惚《とぼ》けたような言い方をされたのを憶えている。

＊

わたしは約束の午後三時頃に美術館を訪ねた。はじめて見る美術館は素っ気ないほど「小さな箱」のような建物で、鶴岡八幡宮境内の池の傍にあった。しかし田舎者のわたしを妙にホッとさせるところがあった。

夕方の五時近くまで待たされて、ようやく館長室へよばれた。面接といっても質問は一切なく、拍子抜けの感じがした。

土方さんは「控室からグラスを持ってきてちょうだい」といわれ、わたしは一個持っていった。てっきり薬でも呑まれるのかと思ったからである。ところが、もう一個いるというのである。どうもそうではないらしく、机の抽斗《ひきだし》から出てきたのは、何とサントリーの〈だるま〉であった。

困ったなと思った。わたしは下戸だったからである。

土方さんは、ト、ト、トとグラスに酒を注いでから「まあ、明日からでもおいでよ——」といわれた。

顔面を真っ赤にしているわたしを見て、土方さんがどう思われたのかは知らない。そのあとすぐ先輩学芸員の佐々木静一、朝日晃、陰里鉄郎の三氏が呼ばれて、わたしは紹介された。

わたしが「美術の森の番人」の予備軍として、神奈川県庁からの辞令を受けたのは一九六四年六月一日のことであった。

「鎌倉近代美術館」の学芸員補となっていた。大学で学芸員資格取得の授業を履修していなかったせいで「補」となっていた。国家試験を受けて二年後に「補」は取れ、ようやく「番人」の仲間入りができたのである。

2

さて、人生の曲がり角にあった時期の思い出のなかでも、わたしの胸のなかに大切に仕舞ってある話を書いておきたい。

卒論で切羽詰まり、わたしは縋《すが》るような気持ちで、高橋巌先生の鎌倉由比ヶ浜の自宅にお邪魔した。とにかく一切合切を相談して決めたいと思っていたからである。

先生は困ったヤツだと思いながらも書斎から数冊の本を持ってきてテーブルの上に置いたまま、ちょっと一緒に聴きましょうといって、ＳＰ盤（指揮者は忘れたが）、フィッシャー・ディースカウが歌うマーラーの交響曲《大地の歌》をかけたのである。

クラシックを聴く耳を養ってこなかったわたしは、ただジーッと椅子に腰かけて感心したように畏《かしこ》まっているしかなかった。

聴き終ると、先生はまた書斎へ行かれた。

「これで何とか書いてごらん──」

と一冊の本を渡されたのである。それが何と一六〇頁ほどの薄い岩波文庫で、プロティノスの『善なるもの一なるもの』（田中美知太郎訳、一九六一年）であった。

とにかく一二月に入って、わたしは高橋先生を訪ねて相談したわけなので時間的な余裕がない。即刻、わたしは丸善でロンドンの出版社から出ている『エネアデス』のなかの「美について」の章だけを英訳した小冊子を購入し、僅かな参考書を鞄に入れて、暮れから正月の間、横手（秋田県）の親戚の家に厄介になって卒論を書いた。

それは規定枚数の三分の一にも達していなかったけれども提出期日には間に合った。

──大学を出て二〇年ぐらいしてからのことであった。

何かの小宴（「鎌倉近代美術館」のレセプション）で、たまたま八代先生と立ち話になったときである。先生の口から思いもよらぬことを聞いた。

教授会でわたしを卒業させるか、落第させるかで揉《も》めたのだという。そのときに、わたしを援護してくれたのが、高橋先生であった──と。

＊

長く書架にあって、すっかり本のケースが薄茶色に焼けてしまっている。何年かぶりに手にした守屋謙二著『洗竹居随筆』（春秋社、一九六九年）で、ケースには鉛筆でわたし宛ての苗字が書かれている。能筆家でもあった守屋先生の字である。

これはわたしが書いた「小林清親」（『神奈川県美術風土記　明治・大正篇』有隣堂、一九七一年）を献じた返礼として、頂戴したもので、手紙が添えてあった。ところが無くしてしまった。先生は清親の版画には親しみをもつが、何とも永井荷風には馴染めない――と書いてあったのを記憶している。

わたしが第一章の冒頭から「江戸軽文学の感化と荷風のディレッタンティズム」が匂う『日和下駄』――などと斜に構えて、その気分をつたえながら論というか話を始めているわけだから、先生もちょっと困ったな、という思いをされたのにちがいない。

そこで『洗竹居随筆』でも紐解いて、ちょっと見方を変えてほしい、といったような、教え子への情愛の気持ちから自著を送ってくれたようにも想像するが、もとより真意のほどはわからない。

いまなら――若いときは不思議なもので、「わが荷風」というような感じで、一種の憧れと粋がる気持ちがつよくて――と、いった返事でも書くだろうが、その頃のわたしは先生からの手紙の文面は、気にはしたけれども納得したというのではなかった。

こんど「わが画歴の一節」という一文を再読して、はじめて合点がいった。

先生は荷風散策の土地柄や風物を上方文化圏のそれと比較して、いかに没趣味であるかを縷々《るる》語っている。岐阜県大垣市の醸造業の旧家に生まれた人であるから「下町の問屋筋の土蔵造りの家並み」には感心した――

とあるが、いわゆる「江戸趣味」は向きではなかったようである。学生のころに岸田劉生に絵を見てもらったという話も書かれているが、このほうは純粋に劉生の絵に惹かれて教えを乞いたいと思って、鵠沼（藤沢）の劉生宅を訪ねたのであろう。

後年、わたしが『摘録 劉生日記』（岩波文庫、一九九八年）を編集したときに、その事実を知るところとなって、びっくりしたのだが、それは「日記」の「大正一〇年一〇月六日」の条である。

「二時頃か、約束で、守屋謙二という、慶応の文科にいて画をやっている人が画を持って来訪、ちょっと面白い処あり。待ってもらって麗子をかく。仕事おえた処へ武者夫妻と椿前後して来る――」と書かれている。

いずれにせよ守屋先生は、学者の領分を逸脱しない範囲で、茶や書画を嗜み、贅《ぜい》を避けた倹しい暮らしのなかに、しっかりとした座を持つ人であったといっていい。

一度だけ就職をつたえるために、手土産を提げて日吉（横浜）の自宅を訪ねたことがあった。早々に辞したので記憶に残した話はないが、わたしが献じた本へのお礼の手紙をもらって、半年も経たないうちに、先生は亡くなられてしまった。

＊

それから三、四年してからのことである。わたしの女房が、おもしろいご夫婦が宝戒寺の境内（鎌倉）に住んでいて、知り合いとなり、あそびにいらっしゃい――といわれたからといって訪ねたことがあった。

何とその人は守屋といい、先生の次弟（名前は忘れた）にあたる人であった（日本画の守屋多々志氏はその弟）。妙な縁を感じて二度ほど伺って雑談をした。

「ドイツに兄がいたので、ドイツへ赴くことになったが、自分はヒットラー・ユーゲントに属していたので、戦後、命からがら逃げてきたのです――」

と語っていたのを憶えている。オルゴールをつくって細々と境内の小さな家に暮らしているようすであった。年に一つか二つしかつくれないが、丸善で引きとってもらっています――などと語っていたが、奥さんとの二人暮しであった。

守屋先生の年譜によると、一九四〇年にミュンヘン大学に留学され、そこでハンス・ヤンツエン教授(ハインリヒ・ヴェルフリンの門下)の下で研鑽を積み、四二年にライプニッツ大学の日本研究所で教鞭をとっている。そして四五年にドイツが降伏、シベリア経由で帰国し、慶應義塾大学の教授に迎えられた――と簡単な記述で済まされているが、弟さんとのかかわりを想像すると、果たして内実はどうだったのだろうか。

＊

美術館で仕事をしていて、土方さんのお手伝いも何とかつとまるようになったと思える、ある日のことである。偶然のことから守屋先生のことが話題となった。土方さんは、ふと思い出し笑いをして、こんなことをいわれた。

わたしが学生服を着て、はじめて美術館へ面接にきた数日前、土方さんは、守屋先生から一通の手紙を受け取っていたらしい。

「その手紙には、すっかり騙されたよ――」

と言われたのである。訊くと、わたしのことを優秀な生徒であるとか何かと褒めてあったのだというのである。

わたしは八代先生の差し金で、守屋先生が(段取りにしたがって)、ペンを執ったのにちがいない、と推察した。そうでないと、面接なのに質問もなしで、「明日からでもおいでよ」と、決着はつけられない。

いずれにせよ、そこいらの経緯については、いまとなっては、わたしの想像の域を出るものではないが、時の経過の気まぐれが土方さんをして「すっかり騙されたよ」と言わせたのだろう。

ことばの真の意味で美術館を闘いの場とするには——と話していた土方さんである。だからスタッフの一員として、わたしに期するところがあったのも確かである。

それだから余計に、そのことばを耳にしたとき、わたしは複雑な気持ちになった。至らなくて、叱られていたときには感じなかった自分の不甲斐なさを、あらためて痛感させられたといえばいいだろうか。

とにかく、人生には知らないでいることのほうが、よかったという場合もあるのに、と思い、かなり堪えた。

これもまた因縁というべきか——。

何と土方さんの父親が一時期（一七、八歳で）、守屋先生の郷里（大垣）の藩校の校長先生をつとめていたことがあったという。そんなことから「そこに通った守屋さんは、ぼくを見ると、先生の坊やといって懐かしがるんだ——」と土方さんは笑った。

I

佐々木静一と海と美術史

〝静《せい》さん〟の愛称で親しまれていた佐々木静一氏（一九二三―一九九七）は、神奈川県立近代美術館が開館を一一月に控えた一九五一年四月に採用された最初の学芸員である。東京国立近代美術館（一九五二年開館）とともに、戦後の「近代」を冠した美術館の草創期を体験した数少ない学芸員であるが、いまでは想像もつかない出来事や事態に遭遇したときの体験談を、わたしはよく佐々木さんから聞かされたものだ。

わたしが美術館にきたのは一九六四年で、まだ二二歳だった。佐々木さんは四一歳で、どことなくおおらかなタイプで頼りがいのある人であった。たまにニヤニヤしながら「戦後は余生だよ」と冗談っぽくいわれたのをおぼえているが、学徒兵として戦地に送られた体験から戦争や軍隊については複雑な感情をもっていた。ずっとあとになって、何かの本からの印象だが、わたしは佐々木さんのなかに、東洋風大人の雰囲気とでもいうか、早稲田大学時代の恩師・安藤更生教授の風貌に、どことなく似たものがあるのを感じた。

佐々木さんは一九六八年まで美術館で過ごし、そのあと多摩美術大学へ転出した。世間では〝土方学校〟とも呼ばれていた頃の美術館であり、いろんな人が出入りして賑やかであった。知的な賑わいばかりでなく、戦後をいまだに引きずった癖の強い輩も混じっていて怪しい雰囲気になることもあった。そういう〝土方学校〟が、一種の「台風圏」に入ると、決まって終電を外し、しばしば川崎駅から歩いて行かれた佐々木さんのところへ泊めてもらったりした。

書棚には美術史関係の本だけではなく、海洋についての本や『ナショナル・ジオグラフィック』誌などの自然科学雑誌が積んであった。机の上にはギリシア語辞典なんかも置かれていた。

佐々木さんはすでにヨット・マンとしても、その世界ではかなり知られた存在であった。泊めてもらった日は、愛娘の名前をつけたミカ号でエーゲ海を帆走したときの、島々の人懐こいひとたちの話が主であったが、いかにギリシア美術が蒼い海と天空の深さとに関連し、またその煌々と輝く光と切り離して考えられないかを熱っぽく語った。

「海には歴史がない――」といわれたときには、何のことかよく解さなかったが（職場の些事にきゅうきゅうとしていたので）、「海というのは、人間社会のせせこましさとは無関係だからいいんだ」といわれて（妙なもので）、わたしは救われたような気がしたものである。

けれども、こと仕事となると好奇心は旺盛で、たいへんなアイディア・マンでもあった。展覧会を企画して、それを巡回する「日本美術館企画協議会」という組織（といっても名義だけ）でいくつもの展覧会を、その頃に土方定一館長は実現しているが、この発案者は、ほかでもなく佐々木さんであった。

＊

このあたりのわたしの思い出は、佐々木さんがエーゲ海の「航海日誌」をもとに書いた『ギリシャの島々』（日本経済新聞社、一九六五年）が刊行された前後の時期である。

江ノ島に停泊させていた自身のヨットから出勤していたこともあった――という話は、ずっと以前のことである。土方館長は館を休んでヨットにペンキを塗っていた佐々木さんを、半ばからかうような言い方で「彼はヨットに恋をしていたからな――」といったことがあったけれども、しかし、わたしにはこの海の男のロマンに、土方館長はどこか惹かれるものがあったようにも感じられた。

いずれにせよ佐々木さんは、『ギリシャの島々』のなかで、エーゲ海を帆走したいと思い立った理由を「紫がかった紺色の海をいちどでいいから帆走してみたかったからだ」と述べ、つづけてこんなふうに書いている。「数年前、エーゲ海の絵ハガキを見たことがあった。それは信じられないような美しい色をしていたので、印刷によくある誇張した色彩かと思っていた。ギリシャを二度も旅行された土方定一氏にそのことを問い質したところ、『その通り』という御返事ではあったが、どうも納得がいかない気持ちでいた。僕は海と空の色を特別気にする方なので、どこかへ旅行すると、そこの海とか空の色だけを鮮やかに記憶するくせがあるからかもしれない。

戦前少年時代、台湾に旅行した時の記憶では、キールン港の海が明るいコバルトに見えてびっくりした記憶があったが、われわれの知っている相模湾や太平洋岸の海、また日本海の海の色は暗く、黒ずんで見える。エーゲ海の色が土方さんの言うように絵ハガキと同じかどうか、もし同じならその上を帆走してみたいと自然に考えるようになっていた」と。

まあ、帆走の動機はこれで判明するが、それまでの、つまり自前のヨットをつくるまでの算段は並大抵のものではなかった――という話やクルー捜しのこと（森繁久弥の子息）、あるいは旅費の工面など、とにかく紺色の海に惹かれて佐々木さんは飛び出して行ったようだ。

＊

わたしが会った佐々木さんは、すでに冒険からもどってきていた先輩学芸員であった。「日本初期南画展」（一九六四年）と「中村彜とその友人展」（一九六四―六五年）は、佐々木さんの担当で、借用先から到着した梱包された作品の開梱やリストづくり、また写真撮影などの仕事を手伝ったりした。「南画展」のときには、いまでいうゲストキュレーター役の美術史家・鈴木進氏の先導で、佐々木さんに連れられて、わたしも蒐集家にお会いしたり古美術商を訪ねたりしたのを憶えている。

わたしは佐々木さんから展覧会づくりのイロハを手ほどきされ、数多くの作品にも接して、そのつど見方や美術史的な意味を教えられた。なかでも日本の近代美術に興味を覚えるようになったきっかけは、もちろん、美術館での展覧会をとおしてだが、佐々木さんによって啓発された面は大きい。その南画論（文人画論）は独特であった（注1）。また幕末期以降の画家たちを文化的視野からとらえた論考にもじつに興味深いものがあった。特に高橋由一の《鮭》についての論考（早大美術史学会「美術史研究三」一九六五年二月）は、いまだにわたしの関心事として持続している。

すでに記したように、佐々木さんは多摩美術大学に転出したあと、しばらくして美術の東西交流史における「材料学」を専門に、中国や東南アジアを巡った調査研究を次々に発表する。その下地となっているのは学芸員時代の美術館での体験であるが、あの「エーゲ海」の体験がものがたっているように、それは佐々木さんの発想のゆたかさに由来したものでもあった。「油彩画の土着過程」の研究として、泥絵、硝子絵などの現物にあたってこまかく調査しているのは、やはり具体的な事例に即した実証の精神を大事にしていたからであろうと思う。

一九八六年に佐々木さんは病に倒れて半身不随となるが、リハビリでの日々を送りながら『日本近代美術論I』（瑠璃書房、一九八八年）につづくII巻目を準備中に亡くなっている（注2）。

佐々木さんとの思い出ということになると、台風の前に艇泊させていたヨットの碇を打つというので誘われてついていったときのことが忘れられない。情けない話なのだが、わたしの船酔いが激しく、早々に切り上げて帰ることになった。もうひとつは「南画展」のときであった。わたしが一幅の絵を矢筈で壁に掛けた瞬間、二人が同時にアッと驚嘆の声をあげたのである。それは沈南蘋《しんなんぴん》の桃の絵であった。

とりたてていうほどのことではないが、妙に記憶に残っていて、いまでもあの桃の鮮明な色彩と、ふっくらとした桃のすがたが目に浮かぶのである。

――『その年もまた』（かまくら春秋社、二〇〇四年）収録、改稿

注1　佐々木静一・酒井忠康＝編『近代日本美術史Ⅰ・Ⅱ』（有斐閣、一九七七年）は、南画論が柱のひとつになっている。

注2　Ⅰ巻目については、拙著『その年もまた』（かまくら春秋社、二〇〇四年）所収「設問―佐々木静一」を参照していただきたい。

柳生不二雄さんのこと

過去というのは想像していたよりもはるかに刺激的だ。向こうからやって来る思い出の人の印象もまた颯爽としているからであろう。柳生不二雄（一九二五―二〇〇五）さんのことを思い出して、ふとそんな印象を抱いた。

柳生さんは、わたしの職場（「鎌倉近代美術館」と呼ばれた時代の美術館）の先輩だった。といっても、わたしが入ったときには、すでにいなかった。しかし、その後もずっと柳生さんは、わたしの先輩であった。ほかのことはともかく、こと「彫刻の世界」に関しては、そういってさしつかえない。おまえたち若造には、まだまだ知らないことが多々あって、そう訳知りのことをいっちゃいけない、そんな雰囲気だったからである。だから、何かとおそわったのである。

秋山画廊の時代（注1）だって、堀内正和、山口勝弘、村岡三郎、土谷武、江口週、関敏、砂澤ビッキ、若林奮などたくさんの彫刻家の個展をひらいて、強烈な印象をもたらした「仕掛け人（プロデューサー）」の柳生さんがいた。ちょっと頬を紅くした感じで立っている姿をいまでも想起できる。また神奈川県民ホールギャラリーの時代（注2）だって、超弩級の彫刻展をつぎつぎに企画して、びっくりさせられたものだ。

＊

日本の野外彫刻の現状分析や、その基本台帳のようなものを作成する構想をもって、諸雑誌に原稿を寄せていたが、おそらく、纏める意向を持って進めていたのに違いない。したがってこの方面の先陣の一人であることをもっと強調してもいいのではないだろうか（その頃、わたしのほうも下手な文章を書き、同じ号に載ったこともあったが、それはどうでもいい）。ガラス工芸にも一家言あった。その方面の世界的な研究者の由水常雄氏も若い時代に柳生さんには一目置いていた。

柳生さんは、佐々木静一、大河内菊雄、朝日晃、井関正昭などの第一期の学芸スタッフと一緒に仕事をしている。あるとき土方定一館長が、わたしにこんなことをいったのを覚えている。

「柳生は平凡社の『世界美術全集』の編集部から、ぼくが引っこ抜いて、美術館につれてきた。けれども書類を書かせたら、これが抜群に上手いのよ」と。

いくどかこの話は耳にしている。土方先生は思い込みの激しい人だが、この意見にはわたしも賛成だ。なぜなら柳生さんという人は、事柄の要点を的確にとらえ、類まれなる「仕掛け人（プロデューサー）」の資質と貫禄を備えていたように思うからである。

よく県の文化催事の会議などで同席することがあった。そんなときでもけっして唯々諾々としている人ではなかった。

「それは違うんじゃねぇか」といって、弾き飛ばすことが何度もあった。結局、実質的な役目を担わされるのだが、不平の一言もいわない。しゃあしゃあとしている。

しかし、こうして振り返ってみると、柳生さんは恰好のいいスーツを着込んで、肩をちょっと揺らし気味に歩き、いかにも囚われのない自由人の、そして他人思いの兄貴といったような感じで、わたしたちには接していたのではないかと思う。

あれは含羞の人というのかしら、妙にシャイなところがあったといまにして思う。

「じゃどうすればいいのかな」と助言を期待していると、いつの間にか姿がみえない。まるで忍者のような柳生さんが、わたしの記憶の風景のなかにいる。

『屋外彫刻調査保存研究会会報』第四号（二〇〇八年七月）

注1　秋山画廊（日本橋室町）は、一九六三年から七〇年まで開廊していたが、戦後の現代彫刻の状況について考える際には無視できない画廊であり、その企画運営には柳生不二雄、中川杏子氏があたっていた。わたしは先輩学芸員の佐々木静一氏に連れられて行ったのが最初で、その後、何かというとよく顔を出した。画廊の記録に『秋山画廊一九六三―一九七〇』（三上豊＝編集・発行、二〇〇一年）がある。

注2　一九七五年に開設された当初から柳生不二雄氏は、ギャラリー課長として八五年まで勤務。その一〇年間に趣向を凝らした数多くの企展を開催して、施設の存在価値を高めたと同時に、個人的には各地の「彫刻のあるまちづくり」を先導し、長期にわたって美術展評（「神奈川新聞」）を担当した。

こうした氏の生涯と仕事の全貌については、『屋外彫刻調査保存研究会会報』第四号の特集「柳生不二雄と彫刻」を参照していただきたい。なお同会報には、柳生氏の県民ホール時代の若い同僚として、一緒に仕事をされた藤嶋俊會氏の「柳生不二雄と野外彫刻と彫刻」が収録されている。

感受性の庭―大河内菊雄

誰の言葉か忘れたが、いちいち他人の意見を気にとどめていては、これが自分だという骨張ったものが出てこない――とあった。

骨張ったものという形容はちょっと大河内菊雄（一九二九―二〇〇五）さんには似合わない。けれども、自分らしさとでもいうか、持ち前のらしさが現われてこないという意味で、ずいぶんと長い間（どういうかかわりなのかは明確ではないが）、わたしのなかの大河内さんは、土方定一のことを気にとどめていたような印象がある。

土方さんといっても、もう若い人にはピンとこない名前かもしれない。

一九五一年に開館した神奈川県立近代美術館（通称＝鎌倉近代美術館）を、主要な活動の拠点にして、各種の展覧会によって美術愛好者の啓蒙をはかり、また自らの美術批評の場とした人である。日本の各地に新設される美術館や野外彫刻などの事業にも指導的な提言をなし、そんなところから大いに頼りにされた一代の名物館長であったといっていいであろう。

大河内さんが最初に職場で薫陶を受けたのが、この土方定一であった。

一九五一年から五八年までの間であるが、そのころ一緒に机をならべていたのは佐々木静一、柳生不二雄、井関正昭、朝日晃などの第一期の学芸員たちであった。わたしが就職したのは一九六四年のことであるから大河内さんはすでに大阪の読売テレビ放送へ移っていた。

美術館に入った年の暮れの夕方であった。なにかの折に大河内さんが大阪からやってきた。そして館長室ではじめて紹介された。

常日ごろ土方さんから学習院は礼儀が身についている、といわれていた。特に大河内さんは育ちがいいと知っていたので、そうした目でみたということもあるが、直に接した本人のようすは、品がいいという言い方は一面的かもしれないが、何ともいえない落ち着きをもち温和な感じである。

佐々木さんからは別な一面を聞かされていたので、そのせいか外柔内剛のタイプで、見掛けとはちがって、案外、熱情的な人なのではないか——などと生意気な印象を刻んでいた。

しかし、最初にお会いした日が、その人間的な意味での片鱗をちょっとだけかいまみる日となったのである。といっても酒豪ぶりや武勇伝のそれではない。人間の心の奥に隠れるようにして養われた感受性の庭のありようというか、何とも説明し難い人間的なかかわりの濃密な空気に触れたのである。ある種の感情がもたらす美しさに打たれたといってもいい。

美術館で土方さんと大河内さんが歓談しているうちに、どういう弾みなのか（いまとなっては確かめようもないが）、鎌倉山の大河内さんの実家を夜分に訪れることになった。土方御大をはじめ学芸員全員（そのころは佐々木、朝日、陰里、わたしの四人）が同行した。うろ覚えなので間違っていたら許してほしいが、ご馳走にあずかって、土方さんが大河内さんの母堂に感謝の意を示し（父親の信敬さんがいらしたようにも思うが）、酒宴の再会となった。

しばらく経ってからのことだった。母堂が土方さんに何か切々と訴えている。話の内容は聞き取れなかったが、息子のことだったことはあきらか。土方さんが目を潤ませているのを目撃した。大河内さんは泣いていた。

——『大河内菊雄著作集』に添える話にはならないので、この夜の一件は止すけれども、とにかく人間関係の濃さというのか、怖いようなかかわりをみて、正直、わたしは妙なところに就職してしまったなと思った。けれども美術の世界の一切合切は、この人間的なかかわりの、濃い空気のなかに生れるものである——ということをつよく意識させられたことも事実であった。

まあ、勝手な解釈である。実際に大河内さんと気兼ねすることなく話すようになったのは、大河内さんが伊丹市立美術館の館長に就任された一九八七年以降のことである。

*

一文を寄せる約束をしてから世話役の一人である坂上義太郎氏が、大河内さんの伊丹市立美術館で開催された展覧会カタログの文章をコピーして送ってくれた。わたしの手元にもそれ相応のほかの文献がいくつかあったので、それらを併せて一読した感想を以下に記したいと思う。

大河内さんの関心は、二つ三つの領域に集中していたのではないかと思う。なかでも館長になり立てのころに書いた文章（「関西ゆかりの八巨匠展に寄せて」一九八七年）は、可能なかぎり広い視点でとらえようとして、美術史的な展開を（用心深く）下敷きにしたものとなっている。これにはそれ以前に書かれた「関西の洋画商」（『日本洋画商』日本洋画商協同組合編に収録、一九八五年／一九九四年）という長論文の余韻を感じさせるものがあるけれども、実証的な調査を踏まえた手堅い仕事が、新しい美術館をこれから先導するものとして、やはり必要不可欠なのだと大河内さんはつよく意識していたのではないだろうか（ここらへんに土方定一の薫陶の跡をみる）。

とにかく、その後、間を置かずに「関西ゆかりの現役作家」の展覧会を企画し、前田藤四郎、今村輝久、浅野竹二、森口宏一などについての文章をカタログにつぎつぎに寄せている。いずれも通り一遍のものではない。普段着のつきあいのなかで記憶にとどめた話を淡々と書いている。作家との行き来のなかでの原点を照射するきっかけとしての話にとどめているが、素材とか手法に関心を寄せているのは、作品の成り立ちをみとどけるためで、最終的にはこんな言い方で読者（鑑賞者）に提案する。
「――作品は寡黙である。声高にはしゃべらない。作品の前に立って、どうか静かに、時には忍耐強く耳を傾けてほしい。低く流れだした調べが、やがて力強い交響曲となってひびいてくるだろうから」（「今村輝久展に寄せて」一九九〇年）と。

しかし身近なところでかかわりをもった作家たちであるからこそ大河内さんは、あえて距離をとって論じたりもするのではないだろうか。その微妙なスタンスが何とも言い難いペーソスを産むのかもしれない。
「――先輩たちの友情に対するぼくなりのささやかな思い入れがあることをいいたかったのである。これはある意味で個人的感情にすぎないと思われるかもしれないが、ぼくは展覧会企画に対する担当者の思い入れというものを大切にしたいと常々考えている」（「前田藤四郎展に寄せて」一九八九年）と書いている。

しかし、この「思い入れ」がなくては味も素っ気もない。といって恣意に走ってしまってはカタログの文章というわけにいかない。このへんの兼合いがいいのである。行間から人間的な温かさが滲んでいる。

美術館のコレクションのなかでもドーミエの作品（二〇〇〇点を超える版画、四五点の彫刻、四点の油彩画、一点の水彩画）についての大河内さんの「思い入れ」は格別で、その収集の経緯あるいはドーミエ体験とでも形容したい展覧会や画集との出遭いについて書いた文章がある。とりわけ感動を覚えたのは「ドーミエ展―心やさしく、鋭い風刺の巨匠―」（神奈川県立近代美術館、一九七五年）であったという。自宅にフックスの木版画集があったことをちょいと書き入れているが（カタログにも挿図が入っている）、大河内さんは「――まだまだ未熟な段階ですが、今日の一石が将来実って、この小さな美術館が風刺画の世界的に通用する研究機関になることを願っている」し、「さらにはそれがいまの日本の現代美術にもっとも欠けていると思われる人間性の回復に役立てばと思う」（「伊丹市立美術館のコレクション」一九九三年）と書いている。

わたしの興味からいうと「ドーミエの日本での受容」と題した一文（「ドーミエ展」カタログ、一九九七年）が、もっとも気になるところで、大河内さんの思いの節々と連れ立って、洋の東西の文献資料が机上に載せられている感じがした。そして喧《やかま》しい注記などを付さないでじつに気の向くままに論じていて爽やかなエッセーである。

大河内さんはドーミエの石版画にはじめて親しく接したのは、木内克さんがパリからもち帰った『シャリヴァリ』の切り抜きだったという。「昭和二四、五年頃のことであろうか」と書いているが、ずっとあとになって、その木内さんがプレゼントだといって、作者不詳の明治期の洋画と一緒に神奈川県立近代美術館に届けてくれたことがあった。そのときの嬉しそうな土方さんの顔を憶えている。大河内さんがみたというその切り抜きは神奈川県立近代美術館の収蔵庫にあるはずである。

＊

『小さな箱―鎌倉近代美術館の五〇年』（求龍堂、二〇〇一年）を出したときに、わたしは大河内さんに一文（「中国関連の展観」）をお願いした。

中国旅行の途次（南京のホテルで）、北京時代の土方さんのことをあれこれと思い出したということが書かれていた。まあ、人生というのはある意味で深いとでもいうのか、自分では図り得ないものがある。

敗戦後の別れの挨拶に周作人を訪ねた土方さんの文章があるが（読んでいる人は少ないと思っていたので、いささかびっくりしたが）、それを思い出して、大河内さんは「――（周作人は）さびしげではあったが、従容としていたという話を思い出して、なにか非常に複雑な思いにとらわれたのだ」と書いている。そして最後の一行がいい。「近くの咸亨酒人の老酒は妙に甘ったるかった」と。

ふと、思い出したのでちょっと記しておきたい。土方さんの一周忌を記念して出した『土方定一 追想』（平凡社教育産業センター、一九八一年）に、大河内さんは「稲毛の思い出」を書いている。

そのなかで大河内さんは、土方さんに道元の『正法眼蔵随聞記《しょうぼうげんぞうずいもんき》』を読めと勧められたが、いまだに果していない――と書いている。おそらく読んだのにちがいない。が、物事を然るべきかたちで咀嚼《そしゃく》するまでは、軽々しく読んだなどとはいえない、これは大河内さん流の謙遜のしかたなのではないかと思った。

因みにわたしは土方さんに道元の『宝慶記《ほうきょうき》』を読めと勧められた。現代語訳（書き下し文・注記付き）の本を手にしたのは、土方さんの歿後一〇年目のことだった。

――『大河原菊雄著作選集』（光村推古書院、二〇一二年）

井関正昭——日伊文化交流の一隅

1　追悼

井関正昭氏（一九二八—二〇一七）が亡くなった。いつお会いしても満面に笑みを浮かべて相手を迎えるこの人の、あの何ともいえないシャイな身振りに、二度と出会うことがないというのは、まことに寂しい。この思いは、わたしだけではなく、氏と交誼をもった多くの人たちのいだく、共通の感想でもあろう。

井関氏との縁は、氏が神奈川県立近代美術館（鎌倉）の先輩学芸員であったことにはじまる。といっても、氏が東北大学を出たあと、一九五三年から一九六一年にかけて美術館で仕事をし、その後、イタリアに留学されたので、わたしが美術館に入った一九六四年には、すでにローマの日本文化会館に勤務されていた。

したがって、何かと接するようになるのは、帰国されてからのことである。とくに国際交流基金（事業部）時代には、氏の同僚に、わたしの友人たち（矢口國夫、南條史生）がいたこともあって、たびたび顔を会わせることになり、柄模様の大きな氏のもとで、彼らが自由に仕事をさせてもらっていたのをおぼえている。

想いだすのは国際交流基金が「近代日本洋画展」（一九八五年）をイタリアとドイツに巡回したときのことや、わたしが日本館コミッショナーの任に当たったヴェネツィア・ビエンナーレ（一九八六年）の際にお世話になったことなどである。旧知の関係にあったので、わたしは何かと氏を頼みとしたが、こまかいことはいわず遠巻きに事のようすをみまもっている感じだった。

そのときの氏は、ローマ文化会館の館長であり、在イタリア日本大使館公使をも兼務されていた。一方、氏は長年の研究成果をまとめた『画家フォンタネージ』（中央公論美術出版）や、さらには『イタリアの近代美術』（小沢書店）を刊行して、美術を中心にした日伊文化交流史の実証的な研究者としても知られる存在であった。

ところが、かつて「現代イタリア美術展」（鎌倉、一九五五年）の魅力が、氏をイタリアに向かわせたように、こんどはヴェネツィアで世界中の未来派が一堂に会した大規模な「未来派と未来主義者たち」展（一九八六年）に衝撃を受けて、美術史の醍醐味を味わうと同時に、イタリア発祥の未来派のもつ前衛芸術の世界性の意味を、あらためて問い直すことになるのである。『未来派イタリア・ロシア・日本』（形文社）は、そうした観点で書かれた労作である。

この課題は、やがて東京都庭園美術館の館長時代（一九九六—二〇一六年）に、氏によって企画された各種の展覧会（「イタリア・バロック絵画」展、「カラヴァッジョ」展、「デ・キリコ」展など）で具体的な事例をもって紹介されることになる。『私が愛したイタリアの美術』（中央公論美術出版）には各展覧会図録のテキストが収録されている。他には「エトルスキとその文化」や「サンジョヴァンニという画家」などの興味深いエッセイ、あるいは井関氏もまた、その当事者の一人であった「日伊文化交流の二五年」の一文がある。

いずれも姿のいい文章で淡々と語っている。ところが、裏方の苦労話を、それとなく挿入していて、そんな箇所では、ああ、いかにも氏らしいなと思ってしまう。

私家版の『イタリア・わが回想』（二〇〇八年）の「年譜」（一九八六年の条）にも「前衛芸術の日本 1910—1970展」（パリ）のために、ヴェネツィアから柳瀬正夢の作品一点を、直接、携えて行った——という件があり、通関にも苦労をされたようすである。だが、はじめてみたポンピドーセンターの地下倉庫は、まるで「格納庫並み」の巨大さだったと驚いている。「あとがき」に本音ともとれる「私の人生は一貫して展覧会屋」であり、「一人のイタリアおたく」であった——と書いているが、しかし自分のなかの興味の対象とはトコトンつきあっておきたい、という相当に強情な一面をものがたっているような気がする。

わたしは展覧会の企画で氏と一緒に仕事をする機会にめぐまれなかった。残念なことではあったが（それはともかく）、こうして振りかえってみると、やはり井関正昭という人は、じつにスケールの大きな人であったのを知る。しかし、そうした氏が「イタリアおたく」であったと自認しているところに、わたしは何とも言えないユーモアを感じるのである。

——「美連協ニュース」一三七号（二〇一八年二月）

2　体験の反映

待望久しい一書『未来派—イタリア・ロシア・日本』（形文社、二〇〇三年）が、やっと姿をあらわしたという感じである。五八八ページにおよぶ大冊を数日がかりで読み終え、何か言いがたい感動がわたしのなかにわいている。

ひとつは、かつてわたしの職場の先輩であった著者への、わたしのひそかな敬愛の気持ちである。『画家フォンタネージ』（中央公論美術出版、一九八五年）や『イタリアの近代美術』（小沢書店、一九八九年）などにまとめられた著者の持続的な研究の成果に衝撃を受けたことがあったからである。明治日本の洋画に、工部美術学校で本場仕込みの画技をはじめて紹介したフォンタネージの本格的な評伝は、この著者にしてなしえた仕事だと思ったし、画家の母国であるイタリアの文化・芸術・歴史のすべてについての著者の関心が、その下地となって誕生したイタリア近代美術の論考には、ローマ日本文化会館にながく勤務された著者の体験の反映が感じられたものだ。

しかし、こんどの本に著者は格別の思いがあるのではないかとわたしは想像している。というのは病に襲われたなかでの発刊となったからであり、わたしが何か言いがたい感動……と言ったのもそのことに関連している。

＊

ひと口に「未来派」といっても、その運動の最初と最後ではずいぶんようすの違うものになっているが、イタリアで生まれたという事実だけは変わらない。一九〇九年二月にパリの『フィガロ』紙に詩人マリネッティが「未来派宣言」を掲載し、この宣言をトリノの劇場で朗読したのが最初である。

「爆発するエンジンをつけ、機関銃の弾道を走るように見える競走自動車は、サモトラケのニケ（勝利の女神）より美しい」という有名な機械美礼賛の一文を含んでいるだけでなく、ありとあらゆる既存の価値に反旗を掲げるという過激で煽動的な一面をつよく持っていた。マリネッティが煽ったこの「未来派宣言」に画家のボッチョーニ、カッラ、ルッソロ、バッラ、セビリーニたちが賛同して「画家宣言」あるいは「絵画技術宣言」を出しているが、これは詩や音楽あるいは彫刻や建築そして演劇にまでも「複合」という考えによって結ばれてゆき、なかにはカッラによる宣言のように「音、雑音、臭いの絵画」を謳ったものまで登場している。一六年までに何と五〇以上の宣言文が出されている。

本書で特に興味深かったのは「未来派」の中心に存在したマリネッティが、その宣伝に戦争（第一次大戦）のもつダイナミズムをかさねた背景と、「未来派」を利用したかたちのムッソリーニによるファシズムの台頭をイタリア近代史の成立に関連づけて論じているところである。まさに著者の本領といっていいが、「未来派」各作家たちの個別研究と年譜、あるいは宣言の主要なものなどを加えた「資料論」にも著者の手堅さの一端を覗いた気がした。

それ以上に（本書の特徴と言ってもいいと思うが）、イタリアの「未来派」とロシア・アヴァンギャルドとの関連や日本の「未来派」がいかなる活動をくりひろげたのかというような、いわば「未来派」についての視点の移動（イタリア―ロシア―日本）をたどっていて、こういうところに著者の体験の反映をわたしは見た。つまるところそれは、著者の起案する「未来派展」といったようなもので、事実、九二年に東京、札幌他を巡回した「未来派1909―1944」展などは、そうした著者の論考の支えにもなった展覧会である。

いずれにせよ「未来派」というものを介して、近代美術史研究というのは、それ自体が価値の定めがたい地盤の上にあるのだということをつくづく感じさせられたこともたしかである。八六年のヴェネツィア・ビエンナーレの際の特別展で、「未来派と未来派たち」（グラッシ宮殿美術館）を見たときのことをわたしは記憶しているけれども（著者も再三触れているが）、世界中の「未来派」が一堂に会した画期的なこの展覧会は、「未来派」の影響の多様性と浸透の大きさをあらためて認識させる契機となった。

本書を読んで思い出したのだが、昨今の世界情勢を考え合わせると、まだまだ「未来派」がつづいているような感じとなるから不思議である。

――『日伊文化研究四二』（二〇〇四年三月）

朝日晃氏を偲んで

朝日晃氏（一九二八―二〇一五）が亡くなったと聞いて、とっさに浮かんだのは、「展覧会屋」ということばである。いわゆる興業師的な意味ではない。限られた予算と時間のなかで、しかも少ない学芸員でつくり上げる展覧会、また自分の研究領域と懸け離れた展覧会、あるいは作品の持ち主が厄介な場合など、交渉のはかどらない展覧会に直面しているときに、この人に頼めば何とかなる、という意味での希に見る「展覧会屋」で、わたしはどれだけ助けられたかわからない。

その朝日氏が、早稲田大学を出て、神奈川県立近代美術館に就職するのは、一九五四年のことである。その一〇年後の一九六四年から七五年まで、わたしは氏と職場を同じくした。その間、数多くの展覧会で、氏の仕事振りを実見した。そのタフなことと情熱にはいつもおどろかされたが、詳密なリストをつくり、題箋だって、ぜんぶジー・ペンをつかって自分で書いていた。ある展覧会がキャンセルとなって、そのアナ埋めに、氏は、たったの二週間ほどで展覧会（ある洋画家の個展）を実現した。作品の展示はもとより、ポスターや図録などをも間に合わせたのである。

こうした急場しのぎだけが、氏の特技（持ち味）ではない。松本竣介展、佐伯祐三展、靉光《あいみつ》展など、いずれの場合も、トコトン調べ上げて、制作年の確認ないし新資料の発掘を加えた展覧会となっている。『松本竣介』（日動出版、一九七七年）や『パリに燃えた青春　佐伯祐三』（日本放送出版）などは、そうした成果の一端を示すものである。消息不明の感のあった「アクション」の画家、横山潤之助を見出し、佐伯祐三の調査では、パリで画家がイーゼルを立てた場所と作品との突き合わせをするなどの徹底ぶりであった。

ついでにいえば、佐伯祐三の贋作事件の際には、氏は事のいきさつを見ぬいて、誰よりもはやく、蒐集家の脇村義太郎氏と美術館のわたしに、すべてが贋作ですから用心して下さいよ——という電話をくれた。

*

いまでは知る人ぞ知る「私のあつめたやきもの展」（一九六八―七二年／都合五回）も、ゲスト・キュレーターの小山冨士夫氏のよき助手となって奔走していたのを思い出す。とりわけ印象に深いのは「木喰《もくじき》上人の彫刻展」（一九六五年）であった。全国津々浦々からあつめた展示は壮観をきわめ、大いに評判をとったが、氏の貌に木喰仏が乗りうつったのではないかと見えるほどの入れ込みようであった。

その後、朝日氏は東京都美術館、そして広島市現代美術館に仕事の場を移したので、滅多に会う機会はなくなった。それでも何かと気をまわしてくれた。東京都美術館で一九八二年に開催された、「今日のイギリス美術展」の成功で、翌八三年、ブリティッシュ・カウンシルがイギリス現代美術を視察する「スタディ・ツアー」を企画し、その招待メンバーのなかに（関係者でもない）わたしを推薦してくれたのは氏であった。

思い出は尽きないが、神奈川県立近代美術館の開館五〇周年（二〇〇一年）の小宴をもったときに、氏が愛憎半ばする〝苦い想い〟を語って、一同を笑わせたのは、いまでも目に焼きついている。

朝日氏は美術館の仕事を退かれ、その後、佐伯祐三研究に没頭している、と聞いていた。が、このところ病をやしなっているようすで、わたしは案じていたのだが、お会いする機会にはめぐまれなかった。無沙汰を詫びて、ここに哀悼の意を表したい。

——「美連協ニュース」一三三号（二〇一六年一月）に加筆

＊

朝日氏は〈知られざる作品五四点〉と銘を打った「第3回佐伯祐三展」（神奈川県立近代美術館、一九六八年）と、この展覧会をきっかけに刊行された『佐伯祐三全画集』（講談社）の両方の作業にたずさわっていた。

わたしが憶えているのは、氏が『芸術新潮』（一九六八年一二月号）に「佐伯祐三の全作品分類表」を寄稿するにあたって、その前後の時期に、数回、パリを訪ね、佐伯が実際にイーゼルを立てた場所の確認をして写真を撮り、描かれた絵との比較を、一点々々、根気よく見比べていたことである。まあ、いま流にいえば〝佐伯オタク〟であったと称してもいい。

パリには何やかやと朝日氏を援けてくれた旧知の友人都城範和氏がいた。この人は平凡社を退職し、パリに移住した、いわゆる〝文学青年〟であったが、パリに赴く直前に、土方館長を訪ねて美術館に挨拶にこられたことがあった。わたしも紹介され、その後、パリで数回お会いしたが、パリに骨を埋めてもいいという覚悟を秘めて暮らしたのを実見した。（それはともかくとして）都城氏の写真の腕前はプロ級であった。朝日氏の佐伯調査の初期の写真には、この都城氏の撮ったものが何枚か入っていたと思う。

いずれにせよ朝日氏の佐伯調査は、延々とつづいて〈とんぼの本〉シリーズの『佐伯祐三のパリ』（新潮社、一九九八年）は、自ら撮った写真と文で構成し、その時点までの「佐伯祐三の全作品分類表」を載せている。佐伯の作品は、資料写真が残るのみで焼失したと考えられる作品を含めて三九〇点で、そのうち朝日が直接眼で確認した作品点数は二八〇点であったという。

追悼―弦田平八郎

弦田平八郎氏（一九二八―二〇〇二）が亡くなった。

氏は私にとって職場の同僚であった。人生の先輩である氏を、同僚であったというのは、ほかでもない。土方定一門下のいわゆる〈鎌倉学校〉（神奈川県立近代美術館）で、久しく薫陶を受けた仲間の一人としての懐かしさが、私にそう言わせるのである。

このところ、お会いする機会はほとんどなかったけれども、ずいぶん前に肺癌の手術をされ、その後、病の身で懸命に仕事をされている氏の姿に接して、私はしばしば心を動かされたものだ。芯のつよいひとだと思った。康子《こうこ》夫人の電話で、病が再発し、入退院をくりかえしていたが、一五日（二〇〇一年二月）の正午少し前、やすらかに、永久《とわ》の眠りについた――と聞かされた。

その人柄の温厚さは、氏の仕事上にも反映していた。

職場では日本画と工芸の領域を受け持つことが多かった。若い時期に日本各地を旅していて、祭りごとや民芸品に興味をもち、そのあたりの蘊蓄《うんちく》を傾けるときの氏には、一種、独特なものがあった。無口な氏が、ニヤッとしながら湯飲み茶わんの話をするのである。それがクラフト・デザインにおよび、そうかと思うと、手仕事に関連する生活の具体に触れる。二年前（一九九九年）自費出版された『龍のおとし語』（大塚巧芸社）はさながらそうした氏の訥々としたかたりくちを彷彿とさせる著作集となっている。

中学時代の親友の死を悼んだ一文、あるいは同人誌『造型集団』や『文藝年鑑』におさめたはやい時期の文章には、ちょっと文学青年臭いところがある。けれども、その後、単行本となったもの、あるいは新聞・雑誌に載せた随筆や論考、各種美術展のカタログに寄せた文章などを読むと、いずれもけれんみのない、氏の人柄がにじんでいる。

特に印象づけられているのは、『神奈川県美術風土記』に書いた「横浜家具」の論考である。汽車の座席に、ひざを折って座る和服の女性の、その「坐《すわ》る」しぐさから、洋式家具をつかう「腰かける」（椅子）時代にかわっていく過程を暗示させた書き出しは、上手いと思った。根付《ねづけ》についての短文なども絶品である。

氏の仕事が年とともに広い分野におよんでいくのは、美術館という〈場〉の必然と、氏の経験がそれをうながしたためだろうと思う。宇部や神戸や長野などの「野外彫刻展」で、さまざまな方面の専門家に接する機会を得たのも大いに役立ったはずだ。なかでも土方先生へのサポーターとしての活動を忘れるわけにいかない。

いま、こうして追悼文を草している私のそばで、例の温顔の氏がテレたようすで、ノー、ノーといっているような気がしてしようがない。

告別式の喪主の康子夫人の挨拶で印象に残ったのは、弦田氏が病床で『龍のおとし語』のゲラに眼を通していたという話であった。だいぶ以前に大佛次郎氏に褒《ほ》められたことがあったのを自身も大切な励ましとされていたようであったが、そのことと、土方先生に対する敬愛の情をずっと持ち続けていたという話には、なるほどと思った。しかし、ルース・ベネディクトの『菊と刀』を終生の愛読書にしていたというのは、いちども耳にしたことがなかった。

——「神奈川新聞」（二〇〇一年二月二二日）に加筆

＊

ふと思い立って、過日、神奈川県立近代美術館・葉山の図書室を訪ねることにした。弦田氏の著作集『龍のおとし語』（Ⅰ・Ⅱ）に目を通しておこうと思ったからである。

顧みると弦田氏は、わたしの一年あとの一九六五年に美術館に入り、九二年まで約四半世紀机を並べた。入りたての頃、わたしのほかには佐々木、朝日両学芸員がいたが、佐々木氏は少し年上だったが、朝日氏は同年齢だった。わたしより一二、三歳上の弦田氏ではあったが、新入りの学芸員だったので勝手のわからないことがあり、そのつどわたしを頼りにしていた。しかし、わたしのほうだって、いろんな意味で青二才だったから社会勉強の点ではいつも弦田氏に教わることがあった。

著作集Ⅰ（日本画／洋画／美術展・美術館）の文章は、ほとんど美術館で仕事をするようになってから展覧会図録や画集などに寄せたものであり、著作集Ⅱ（随筆／家具・建築／彫刻／工芸）のほうもそうであるが、随筆のいくつかはそれ以前のものである。なかに弦田氏は一九六一年から六七年まで『文芸年鑑』（新潮社）の「美術展望」欄に、一年間の美術事情についてのリポートを書いているが、これはそのあと数年間、わたしがバトンを受けた仕事だった。

そのほか『クラフト』『月刊健康』誌などにも地方に材を求めた随筆を寄せているが、角館の「桜皮樺細工と魔法瓶」の「精神的な実用性」を謳った一文などは、けれんみのない、なかなか気分の出た中身をもっている。ガラスについても一家言をもっていたし、工芸全般にも相応の目配りのできた人であったが、役割的には日本画の世界にいたような気がする。

「穂庵と百穂」を読んでいて、そういえば弦田氏の最初に担当した展覧会が「平福百穂父子展」（一九六五年八月—一〇月）であるのを想い出した。四月に美術館に来てすぐの展覧会である。テンテコマイしていた氏をおぼえているが、ここらあたりが土方流の訓練《しごき》なのかもしれない。

「宇部野外彫刻展の16年の歩み」や「宇部の野外彫刻30年の歩み」、あるいは「長野市の野外彫刻」などには土方先生の意を汲んで業務を進めた経験の反映をみる。弦田氏はまた師の先に出ることを一切謹んでいたが、そのことがときにはお役人を厳しく律することにもなったのだろうと思う。どちらの野外彫刻展も、その後、わたしにお鉢がまわってきた業務であるが、いま振りかえってみると、高度経済期の行政のゆたかさのまだあった時代のことで少々羨ましくも感じるところである。

けれども、弦田氏の真面目で実直な仕事のしかたが、氏のストレスの原因となったのではないかと想像している。弦田氏は、後半、酒をこよなく嗜まれるようになったが、美術館に入られた当初はまったくの下戸にちかかったのである。

実証の人—陰里鉄郎

1　追悼

陰里鉄郎氏（一九三一—二〇一〇）が八月七日に亡くなった。享年七九。訊きたいことが山ほどあったのに残念至極である。回想して哀悼の意を表したい。

陰里氏は、わたしにとって土方定一のもとで薫陶を受けた先輩学芸員（神奈川県立近代美術館）の一人である。その後、東京国立文化財研究所に転出されたので机を並べたのは僅か一年ほどのことだったが、それでも何かと相談の相手になってもらい、けっこう長い付き合いとなった。

何を訊ねても軽々に応える人ではなく、慎重に用意するところがあったのは、見識の広さによるものだと思っている。足元を確かめることを大切にする人で、研究の姿勢にもそれは反映していた。手堅い実証を土台にする論考は、『陰里鉄郎著作集』〈全三巻〉（一艸堂、二〇〇七年）としてまとめられたが、サブタイトルに「日本近代美術史研究と美術館・研究所・大学」とあるのは、いかにもこの人らしい潔癖さを感じさせる。そのまま自らの専門領域と職場の経験を明記していて、よけいな形容は一切なく、実直で爽やかである。

陰里氏の仕事の多くは、主に日本美術の「近代」を問題にしていた。県立近代美術館時代には「萬鉄五郎展」や「司馬江漢とその時代展」などの展覧会となって実現した。研究所時代には氏が渾身の努力をはらった仕事として「萬鉄五郎—生涯と芸術」を『美術史研究』に発表し、他方で「日本の印象派」をはじめ比較美術史の観点から日本美術の「近代」を論証し、論考するものとなっていく。

しかし、学究肌の人ではあるけれども、専門に閉じることを好まなかった。わたしには「文学青年」で話題の豊富な酒豪というイメージがある。

土方先生と萬鉄五郎の調査に出かけた日のことを、氏が懐かしい想い出として酒席でおもしろく語るのを聞いたことがあった。また盟友匠秀夫氏との酒席でも延々と二人は世間話に興じているようすであった。まるで兄弟のようでもあったが、しかし日本美術の「近代」についての論議となると、けっして自説を曲げない頑固さをみせることしばしばであった。

研究所時代、オランダのライデンに研究目的で滞在したことがあった。氏の美術史研究への思いの節々に、長崎県（五島列島）の医者の旧家に生を享けたという出自と、遠く「蘭学」への親しみの眼差しがあったからであろう、とわたしは想像している。

また後年、陰里氏はいくつかの大学で講義の時間を持つことになった。手抜きのできない氏のことである。こんなことを言われたことがあった。「授業でしゃべってしまうと、原稿を書いたような気になる――」と。いい笑顔で学生の前に立っていたのだろうと思う。その笑顔はわたしにも忘れられない。

――神奈川新聞（二〇一〇年九月三日）

2　実証の細部をおさえて

この小さな文庫本＝『夏目漱石・美術批評』（講談社文庫、一九八〇年）を手にすると、なぜか若いときのことが懐かしく思い出される。

というのは解説者の陰里鉄郎氏は、一九六〇年代半ばの一時期、土方定一のもとで薫陶を受けた先輩学芸員（神奈川県立近代美術館）の一人だった。思い返せば、わたしは新米の学芸員補という身分で、「補」の字がとれるのに間があったが、陰里氏は転出（東京文化財研究所）されたので、机を並べたのは僅か一年ほどのことだった。それでも何かと懇切な助言をあたえられたのを昨日のことのように覚えている。

じつは半年ほど前に、長年の研究成果をまとめた『陰里鉄郎著作集』（全三巻、一艸堂）を刊行されたので、そのお祝いをかねて積年の労苦をねぎらう有志の会があった。著作集の副題には「日本近代美術史研究と美術館・研究所・大学」とあった。自らの専門領域と職場の経験を明記していて、わたしはある種のさわやかさを印象づけられた。いかにもこの人らしい自己の測り方をそこにみたと思った。師の土方は、わたしを諭すように、ときどき、この先輩のことを「実力があるのに野心がない――」と言った。そんなことが脳裏に深く沈んで、美術史研究の手習いをしていた時期のことが、この陰里氏の仕事を通じて懐かしく思い出されるのである。

＊

さて本書の中身だが、夏目漱石（一八六七―一九一六）が一二年（大正元）一〇月一五日から二八日まで一二回にわたって『東京朝日新聞』に連載した「文展と芸術」の全文と、その内容を実証的に当たった資料の提示と考証による長文の陰里氏の「夏目漱石の文展評を読む」が二本柱になっている。加えて、展示された作品の図版、会場の見取り図、あるいは展覧会を紹介する諸雑誌・新聞など（面白おかしくつたえる漫画雑誌類まで）も図版を入れて収録した、なかなか手の込んだ編集である。

この「文展と芸術」は、漱石の唯一の展覧会批評として知られるものだ。「文展」とは文部省美術展覧会の略称。美術を殖産興業の一環から切り離して、文教施策としての自立を謳ったものだった。漱石が書くことになったのは第六回展である（第一回展は一九〇七年）。

「芸術は自己の表現に始まって、自己の表現に終るものである」という書き出しで展開する。このことばを前段に漱石は自己の信条をつたえ、後段において個別の作品評を展開している。体調万全ではなかった漱石は、相棒の寺田寅彦と見てまわり、記事の確認で後日、津田青楓と再訪するのだが、さすがに漱石の眼だと感心する寸評がまじっている。坂本繁二郎の《うすれ日》の牛を見て、この牛は「何か考えている――」云々と評しているところなどは、その一つであろう。豊富な知見と絵の嗜みをかくさないで語っている漱石の評は、画家の生活や思考の投影を的確なことばでとらえている。

毎年秋、「文展」は美術界最大の国家事業として話題になったが、官設展の威光にあぐらした類型的な作品がめだつようになっていた。他方で日露戦争後にヨーロッパにわたって新しい潮流に感化された画家たちが帰国し、在野のグループが結成された。高村光太郎、萬鉄五郎、岸田劉生などの「フュウザン会」は、印象派後の潮流を果敢に紹介する場となった。漱石も足をはこんでいる。「文展」評のなかで引き合いに出しているのは、それだけ複雑な思いを抱きながら書いていた証拠であろう。

まさに美術界の景色が変わりはじめる過渡期に、漱石の「文展と芸術」は書かれたのだが、わたしは「解説」と併読することによって、その点を知った。実証の細部をおさえることの大切さを教えられた一書である。

――『鞄に入れた本の話』(みすず書房、二〇一〇年) 収録

*

「追悼」では字数の制約でふれなかったが、陰里さんとは神奈川県立近代美術館で一年間だけ一緒に仕事をした。一九六四年四月から翌年三月までのことだが、わたしには最初の職場であり、不慣れな日々でもあったので、なにかにつけておそわることが多かった。

その後、陰里さんは東京国立文化財研究所からの要請で転出ということになり(一年間だけ東京国立博物館

に籍を置いていたが）、仕事の場を異にしてもよく気にかけてくれていた。

一九六四年の暮だったと思う。文化財研究所の高田修氏が、土方さんを館長室に訪ねてこられ、小一時間ほどして帰られたあとに、土方さんから聞かされた話を書いておこう。

要件は陰里さんを研究所が貰い受ける話であった。すでに当人は了承しているということであった。隈元謙次郎氏が、その年をもって研究所を退任することになっていたので、陰里さんに白羽の矢が立ったのだという。

高田氏が帰られたあと、土方さんは複雑な思いを隠さなかった。わたしにこんなことをいった。「研究所はわるくはないけれど闘いの場にはならないからな――」と。ある面で陰里さんに期するものがあっただけに、この急な転出を残念に思ったのだろう。

ところが「闘いの場」と聞いて、わたしはちょっとびっくりした。いかにも土方さんのいいそうなことばだが、なるほどと納得したのは、暫く経ってからのことであった。

そこには研究所と個人の仕事のしかたのちがいがあった。隈元謙次郎氏の『近代日本美術の研究』（東京国立文化財研究所、一九六四年）が刊行されて話題となったことがあった。五百数十ページの論文に二百ページも図版を付した分厚い本である。いまでも近代日本美術史研究の基礎本の一書といっていい性格をもっているが、この本が話題になったある日のことだった。

土方さんが、ボソッとこんなことをいわれた。「ちょっと辞書みたいだね（あるいは電話名簿みたいといったかな）」と。

研究所に身を置いて堅実な調査を積み上げたこの著者にくらべて、自分は文学史研究と並行させて、自前でコツコツと美術史の資料にあたって書いた『近代日本洋画史』（宝雲舎、一九四七年）のことを想いだすと、何とも歯がゆいというか忸怩《じくじ》たる思いにかられるものがあったのにちがいない。

だから陰里さんに、オマエも国の機関か——と、いささかの寂しさをこめて、若い研究者の背中を押したのだろうと思う。

＊

陰里さんが亡くなったあと「偲ぶ会」によって『陰里鉄郎遺文抄』という小冊子が出された。そのなかに「出会い・本と人と」という一文がある。

冒頭に「雑然とした書斎の本棚の奥から時折り引っぱりだして手にする一冊の本がある。ぱらぱらめくると綴じ目が壊れそうになるが、最後の奥付の裏のページに鉛筆で描いたスケッチがある——」と書かれている。

旧制中学のときに美術部でデッサンの勉強をはじめたばかりのころに、本屋で買い求めた最初の美術関係の単行本が、何と土方定一著『近代日本洋画史』だったというのである。

懐かしい人―匠秀夫

1　追悼

さる九月一四日、足掛け二年におよんだ壮絶な闘病の末に、匠秀夫（一九二四―一九九四）さんは亡くなりました。顧みれば、さまざまなことが脳裏に去来しますが、情に篤く、じつに頼り甲斐のある人でした。そういう人だったからこそ面とむかって、けっこう冷やかしたり、困らせたりしたこともあったのですが、いつもきまり悪そうに照れ笑いしていて、本気で反論するということはありませんでした。

匠さんの古い友人の言をかりれば、「顔で笑って心でないて、秀夫は独り、わが道を行く」といった一面でもありましたが、しかし、けっして独善の人ではありませんでした。どこか子母澤寛の〈幕末維新もの〉に出てきそうな「風雪」を感じさせるところがあり、そのモッサリとしたようすの裡《うち》に、いつも哀愁を漂わせていました。趣味の俳句でも「木偶子」と号して愚ものを気どっていましたが、これは人生の綾であって、いささかの無常をこめて、そう称していたのではないかしら。哀愁といい、また磊落《らいらく》さといい、すべて匠さんの人間的な魅力に発した印象で、真面目なおかしさと含羞とのいりまじった、懐かしい光景として記憶されています。

最近でこそ、ちょっとごぶさたの感じでしたが、気脈相通じるというか、ときどき連絡をもらったりしていました。匠さんの人柄に触れたものの多くがそうであるように、人間交流の場での匠さんには、一種独特の雰囲気があって、わたしにも忘れがたい想い出がいくつもあります。しかし、匠さんとの長いつきあいのなかでは、たしかに無為に過した時間も相当なものでしたが、コツコツと職人のそれのように仕事を積み上げて行く、匠さんの研究者としての姿に打たれたことのほうが、いまとなっては真実味を帯びてせまってきます。

ことに最後の著作となった『日本の近代美術と幕末』（沖積舎、一九九四年）の「あとがき」は、もしかしたら不帰の人となるかもしれない、という危機的な状態のなかで書かれたものです。めったに自分を語らないという点で、師と仰いだ土方定一とも共通するところがあるけれども、この「あとがき」において、匠さんは土方先生との経緯を万斛《ばんこく》の想いをこめて綴っています。大学教授の職をなげうって、一介の学芸員として鎌倉の近代美術館にやってきたのですから、感慨ひとしおのなかでふりかえるのも当然のことです。

「美術史家として、また美術館人として育って二〇年近くを過した巣立ちの場であった」と書いています。

この最後の著作は時期的にいえば、デビュー作の『近代日本洋画の展開』以後、「美術館人」となってからの文章を一本にしたものです。当時の学芸員が分担執筆した『神奈川県美術風土記』（全四巻）に寄稿したものを骨子としているが、いずれも実証的考察にもとづいた文章で、匠さんの「美術史家」としての力量を存分に示すものとなっています。

この前後には『三岸好太郎』や『中原悌二郎』のような実地調査と資料を駆使した研究書を出版し、また日本の近代洋画を中心に、匠さんが西洋史から美術史へ転身するきっかけをつくった『小出楢重』（日動出版、一九七五年）を出版しています。とくに楢重の「裸婦」をみて、その魅力に引きこまれたのが、ほかでもなく鎌倉の近代美術館での「小出楢重・古賀春江展」（一九五三―一九五四年）だった、というのも不思議な縁で、師の土方定一との出会いも何かみえない糸でむすばれていたような気がします（注）。

おそらく、この頃がもっとも匠さんの生産的な時期であったと思います。実証的な立場での手堅い研究家としての評価は、すでに揺るぎないものでしたが、一方で、それをどのように展開させて行くかを思案していたのではないでしょうか。

わたしのように傍らにあって、日々その学恩に浴していたものはともかく、一般には匠さんが、その愛惜をこめた作家論や史的論証で、小さな疑問をつぎつぎに解決していく過程はみえにくいものであったかもしれません。奇抜な発想を悦びながら、いつも厚塗りにした文章のなかに、それとなく書いておくというのが、一貫した匠さんのスタイルでした。『小出楢重』は、そうした匠さんの資質をもっともよく示している仕事だとおもいます。

ことに匠さんは文学との関連について、比較的早い時期からつよい関心をもって調査研究していましたが、これは文化史的な興味にもとづくもので、匠さんの豊富な雑学を生かす格好の領域となりました。「挿絵史とその周辺」の副題をもつ『日本の近代美術と文学』（沖積舎、一九八七年）は、書斎のなかでの孤独な散歩といっていいでしょう。

ともあれ、匠さんを葬ることになって、わたしの心のなかに、ぽっかりと大きな穴があいた感じですが、しかし、まだ幽明境を異にしたとは信じがたく、きまり悪そうにもどってくるような気がします。

そういえば、茶毘《だび》に付された日の空に、めずらしく虹が架かっているのをみました。


――『絵』（日動出版、一九九四年一一月号）

注　「二人の出会い　土方定一と匠秀夫」（拙著『芸術の海をゆく人　回想の土方定一』みすず書房、二〇一六年）を参照。

2　対談　匠秀夫について　陰里鉄郎＋酒井忠康

進行―沖積舎・沖山隆久

――匠秀夫さんが亡くなられて、ほぼ八年になるのですが、ようやく沖積舎から未刊の著作を中心として三巻本の『匠秀夫著作集』が、昨年の第一巻に続いて、今年の一〇月、一一月にかけて刊行されます。刊行にあたって、監修をご担当いただいた陰里先生、酒井先生をはじめ四人の監修の先生のご協力でようやくまとまり刊行できることとなります。

著作集の刊行にあたって、匠秀夫さんのお仕事、美術館のお仕事など、それから匠さんが美術界に与えた影響や刺激、それからいろいろなエピソードなど、陰里先生、酒井先生にお話いただき、月報として、第三巻に収録したいと思いますので、よろしくお願い致します。

陰里先生から、匠秀夫さんとの出会いあたりから一言お願いできればと思います。

陰里　出会いですか。エピソードみたいなものだけれど。彼は北海道ですよね。それで北海道の大学の先生かなんかをしていたと思うのだけれど。匠さんと出会ったのは、土方定一先生を通してのことなのです。匠さんは地方の人には時々あると思うのだけれど、一種のファンレターみたいのを土方先生のところに出していたはずです。もちろんそれと一緒に、その前後で土方さんを彼の大学の集中講義へ呼んだり、著作の刊行のための推薦文を、助成金をとりたいので書いてくれと言ってゆくなどしていた。そういうことから、土方さんが「こういう男がいるけれど」と匠さんを紹介された。そして、会う前に僕は確か手紙を出しました。それは、僕は萬鉄五郎について調べていたので、萬が旭川の徴兵検査の後に、兵役に服したときに、旭川の師団ですかね、そこに入っていたことがあったのです。何ヶ月かいたはずですけれど、そのときに旭川で出されていた、確か「呼吸」というタイトルだったと思うのだけれど、同人雑誌みたいなものがあったというわけです。それに萬が関わっていたかということをちょっと調べて欲しいという手紙を出した。そして、彼から返事が来て、探したけれどなかったというのがはじまりです。

その後に、それから何年かして、鎌倉の美術館に来て、そのとき以来ですね、お付き合いが始まったのは。来てからは猛然と彼といろんなことがありました。

――その前に『近代日本洋画の展開』を刊行されておりますが、酒井先生、いかがでございましょうか。

酒井　私が鎌倉の近代美術館に勤めたのがオリンピックの年ですから、一九六四年です。そのときには既に陰里さんもいらして、いろいろと私は指導していただいた。夏か秋の初めぐらいに、匠さんが美術館へ訪ねてこられ、受付でお会いしたのが最初です。最初の印象というのは、『近代日本洋画の展開』を昭森社から刊行されるのがその年の一二月ですから、土方先生の序文をいただきにゲラを持ってきたときだったのではないかと思います。大きな風呂敷包みを抱えるようにしていました。当時の大学教授等々にもよく見かけた風情というか、紫色の風呂敷だったのを覚えています。土方先生の「序言」は単に求められたから書いたという「序言」ではなく、情愛のこもったというか、非常に踏み込んでいて、匠さんという人の人間、それから研究の姿勢等々まで非常に的確に見抜いた「序言」になっていた。師匠と弟子というよりも同志を得たという土方さんの書き方なので、感銘を深くして読みました。

三岸好太郎展を私どもの美術館で一九六五年に開催したときに、まだこの年には美術館に匠さんは来られてはいなくて、「三岸好太郎の生涯と芸術」というテキストを、札幌にいて書かれているのですよね。匠さんが美術館に来られるようになったのは、六八年なのですけれど、実は三岸好太郎の展覧会が終わった直後の冬ぐらいに、土方さんに匠さんのところに行って、意を伝えてくれと言われた。いわゆる土方さんの意中を伝えるメッセンジャーとして、札幌に訪ねたのです。それはどういうことかというと、匠さんは、さきほど陰里さんがおっしゃったように、土方さんへの敬愛を持って、慕っていました。ですからご自分はできることなら、鎌倉に来てお仕事を一緒にしたいという気持ちを強く持っていたのですが、なにせ、家庭のほうがまだお子さんたちも不安定な状況で、なかなか一家がこちらのほうに来るということにためらいがあったのです。奥さんが、土方先生に丁寧なお断りの長い手紙を書かれたのです。それを先生が読まれて、ちょっと困ったという感じだったのです。でも一旦自分の気持ちを決めたら、先生は行動力のある人で、「とにかく行け」と、それで「くどいてこい!」と。同じ北海道出身だから通じるものがあるだろうという推察があったのでしょう。それで、匠さんのところに行きましてね、冬。

一晩なんやかやと話しました。奥さんも私がわざわざ土方先生のお使いで来たわけなので、非常に興味深く話を聞いてくれて……。

そんなこともあって、来るかな、来ないかなという気持ちよりも、おそらくこの人は来るだろうし、来てくれるだろうと思いながら、戻った。これが本当の匠さんに接した初っ端です。初っ端というよりも接した思い出です。

陰里　それは、一九六五年前後のことですよね。『近代日本洋画の展開』を昭森社から出して、その初版というのがものすごい誤植でね。(笑い)

酒井　そうそう。

陰里　誤植が多かったけれど、やっぱり立派な仕事だと思っています。僕はちょうどそのときに、鎌倉の美術館から上野の東博へ移ったのです。それで、土方さんから地方の新聞社へ書評を書けと電話か何かが来たのですが、移ったばかりで、忙しくて結局書けなかったのです。(笑い) 後で怒られましたけれどもね。

――『近代日本洋画の展開』の後書きにも書かれていますけれども、詩人の和田徹三さんが昭森社に紹介したらしいですね。その前に和田さんが昭森社から詩集を出されています。

陰里　その前後に昭森社で和田さんと匠さんと、二人だったかな、夜ね、昭森社に。たまたま僕もそこに行って会ったのです。それがたぶん最初だったのです。

――今度の著作集の第一巻に『近代日本洋画の展開』と『大正の個性派』が入っているわけですが、この匠さんの出発点となった『近代日本洋画の展開』の刊行の意義というか、与えた影響といいますか、他との関わりで。その辺のところをお聞かせいただけますか。

酒井　再版をしたときの後書きがありまして、私は新旧両方の『近代日本洋画の展開』の後書きを読み比べたことがあって、そのときつくづく思ったのは、これは美術館に来られた後の匠さんと、それ以前、つまり大学教授時代の匠さんと、匠さんの中で、いろいろな葛藤があったように思ったのです。だけど私はうれしさというか、美術館に土方先生が匠さんを招いたことによって、匠さんの研究に色艶が出てきたということを感じたんです。匠さんは、不明なことを言わない性格で、ある意味で寡黙なところがあった。だから実証的に物事を見つめていくという、実証の歴史家にしたのだろうと思います。しかし、絵に対して、もともと大変、情愛というか、好みがあって、本当は絵の中に入りこんでいきたいということがあるから、歴史を無視しても、絵の世界に入りたいという気持ちが非常にあったと思う。でも、なかなかそこら辺がうまくいかなかったのかもしれない。

土方先生はよく「造形の心理」という言葉を使っている。そういう方向へ匠さんもかなり接近していこうという努力があったようで、努力の仕方が匠さんの一つの成果だったと思うし、文学に対して大変精通していたところがあるので、文学から、文学との絡め合いの中で、よりそういった問題点を深めていったという感じが、非常に強かった。そこら辺に、美術館に来る以前と以後の匠さんの変化があった。

『近代日本洋画の展開』がいまだに、日本の近代、特に洋画史を学ぼうとする人にとって非常にいいテキストの一つになっているというのは、匠さんの堅実（忠実）な歴史に対する記述の仕方にある。この辺を土方先生が「序言」で的確に要約してくれているので、引用したい。

「匠秀夫氏は、近代日本美術を孤立した閉鎖地域とみないで、総体的な歴史のなかで、力学的に流動するものとして、まず把握しようとしている。これを図式的な芸術社会学ではなく把握することは、ずいぶん困難な課題となってくる。だが、イギリス中世史の研究によって鍛えられた匠秀夫氏の歴史の体系的な把握は、かなり強靭であり、近代日本美術に対する愛情と交錯しながら、本書は構成されている。本書の清新さは、ここにあるといわねばならない。ことに、近代日本文学との文化史的比較、同精神的な一致を示そうとする箇所など、氏の情熱がじかに伝わる感がある。大胆な裁断、異論の予想される箇所など見受けられるが、それは却って問題提示となっている」と。

陰里　僕は、『近代日本洋画の展開』というのが、匠さんの全著作を通じて最高の出来だと思う。初版はちょっと誤植が多かったけれど、それはたいした問題ではなくて、その土方さんの指摘というのが、全くその通り、ということは、それまでの日本の近代美術の歴史的な研究というのは、単発的にはいろいろあっても、どちらかというと、たとえば美術のプロパーの世界だけに偏っていて、広がりを持っていなかった。もちろん土方さんの文芸の評論史、日本の美学史、あるいは西洋の美術史といったようなものとの比較美術史的な視点はあったのだけれど、そういうものを明治以降の日本の、これは洋画だけれども、その洋画の中にいろいろな形で組み込んで、通史、概説風に統一された評論というのは、ほとんどなかった。もちろん土方さんの研究はあったわけだけれど、決してそれが文化史、文学を含めた文化史的なものとの関わりはちょっと少なすぎたわけです。そういう点では匠さんの研究はみごとなものだったと思うのです。彼は北海道にいて、せっせと国会図書館に通って、資料を丹念に集めて、また古本屋その他で、雑誌をはじめ、非常に多くの資料収集をして、そういうものにのっとって書いているわけです。我々あれを読んだときにちょっと驚いたのですよね。中央にいながら、そういうことを怠っていたということ（笑い）という気もしましたから。もちろん匠さんの美術の見方、絵に対する見方については、これもさまざまな批判があるだろうという気がしますけれどもね。

――『大正の個性派』がすばらしいと言いますか、重要性についてはどう思われますか？

酒井　たぶん、陰里さんがおっしゃったように、これ一冊というふうに考えたら、『近代日本洋画の展開』をとらざるをえない、彼の土台作りがそこにできているというわけで。ただ、匠さんが後書きで、美術と文学との関係が、「白樺」の活動を多少祖述した程度にとどまっていたと、非常に残念がっていますが。当人としては、もっとそこらあたりを演繹させて、文学と美術との、これは土方先生の言葉を援用するのだけれど、「同精神史的方法論」というのだけれど、これをやりたかったという。そのことを『近代日本洋画の展開』の最後のほうでなんとなく吐露している部分がある。

また、最終的に匠さんの中で一人二人の洋画家に、かなり執着したところがあるのではないか？『近代日本洋画の展開』を書いているあたりでは、まだ安井曽太郎への気遣いがあって、小出楢重に移ってくるのは、その後ではないかと僕は思っています。

陰里　安井について書いていた？

酒井　書いていないですよ。安井にその一つの典型を見てまして、安井曽太郎の持っている造形的な力量を認めながら、人間の内面性というか思想性というか、そういう内面性の欠如、それから無思想性みたいなものを指摘している。そういう問題点があって、匠さんの中で開花というか、花が開くというあたりへの熱望が『大正の個性派』の本になってくるのだと思う。その開花した状態をうれしがっているというか、楽しんでいる感じがする。だから、もう一つ彼の傑作を選ぶとすれば、文句なく私はこれを選びたいと思う。

陰里　僕はね、『大正の個性派』というのは、あまり清新さを感じない。『近代日本洋画の展開』のほうが、そういう意味では清新さがある。今もちょっと話が出たように、大正から昭和にかけてのことですよね。それをそこら辺のことに、日本近代の歴史に則して言うならば、そこら辺の特に三岸好太郎と小出楢重というその二人に、非常に肩入れして、のめり込んでいる。特に小出のあの作品と、小出のあの文筆といったものの持つ魅力、そういうのが匠さん非常に好きなのだろうという気がします。大正から昭和にかけての時期の作家たち、それに関してのことが匠さんの著書の中でもう一つ光っているところだという気がする。

酒井　そうだと思いますね。

陰里　その「白樺」なんかの理解に関しても、それほどそれまでのものに比較して斬新だという感じはあまりしない。

酒井　だから、おそらくこれは土方先生と接点を持って、特に意識したのではないかと思う、匠さんの中で。それは、明治以降の近代というカードだけではまずいと。だから、匠さんも近代以前の方向への何か興味というものを持ちながら、美術館に来たのではないかと思う。『神奈川県美術風土記』に書いた「横浜錦絵と五雲亭貞秀」や「『遊湘日記』の渡辺崋山」などは、とても秀れた仕事ですし、いま読んでもなかなかの出来だと思います。

しかし、陰里さんがおっしゃったように、匠さんの資質というか、本音というのは、さきほど言ったように三岸それから小出でもよいし、大正・昭和のあたりがやっぱり彼の一番心引かれるフィールドだったような気がしますね。

陰里　僕もそう思いますね。

酒井　これはちょっと聞いておきたかったのだけれど、土方先生が『日本の近代美術』という本を岩波新書（二〇〇九年に岩波文庫に入る）で出しますよね。あれも名著中の名著なのだけれど、それが出たのが、一九六六年一〇月、匠さんの『近代日本洋画の展開』の二年後に出ているのです。私はね、土方先生はどちらかというと、そんなに体系的な感じの人ではなかったと思う。だから、匠さんに整理してもらったようなところがあったのではないか……と。確かにめちゃくちゃ鋭い人ではあったけれども、匠さんのほうが、どちらかというと整理は先生よりも優れていたと思うのだけれど。

陰里　それは確かに概説書とかそういうものを叙述されるのは匠さんだったろうかと思います。土方さんの場合は、詩的な直感みたいなものから出てくるひらめきのような、その鋭さというものがあったから。匠さんの場合は、もっと平たくやっていくというところがあったのではないかという気がする。

酒井　よく土方先生が私たちに日頃言っていたのは、「概説的に書くな」と、それから「通史的なところにあまりとらわれるな」そういうことをよく言っていたのです。これは自分の欠陥をよく意識していた人の言い方ですね。匠さんはどちらかというと、いま陰里さんがおっしゃったように、平たく平たく来るところがある。だから年表なんかや参考文献など、何から何まで匠さんに任せていましたから、その意味においては土方先生にとって最高の弟子だったかもしれない。

陰里　年表という話が出ましたが、あれは「三彩」だったかに『近代洋画の一五〇年』特集があり、それに匠さんが年表を出したのです。あれはなかなか良かった。あのような仕事っていうのは、本当にね、匠さんの仕事というのは役に立つという言い方をすればよいか。

酒井　そのあたりが実証主義というか、匠さんのいわゆる史学の特徴的なところ。これも中途半端に終わってしまって、おそらく当人にとっては非常に残念だったと思うのは、『物語昭和洋画壇史』。これは第一巻が〈パリ豚児の群れ〉、第二巻が〈生きている画家たち〉という副題で、形文社で二冊作った。これはもっと続く予定だと思ったのですよね。これは『近代日本洋画の展開』の続編を書くつもりの、いわゆるノート作りという側面があった仕事ではなかったのか。そういうことを考えていくと、匠さんが着実な調査研究に基づいた仕事の進め方をしていたことを教えられます。我々若い世代になってくると、ちょっと海外の批評家とか学者の説をまぶしながら、やってしまうこともあるが、匠さんには意外とそれはない。

陰里　全くないというわけではないが、非常に少ない。彼は外国語というのも会話はだめだったけれど、読むのはたくさん読んでいた。そういうところはあったと思うのだけれど、あまり自分の著作にそのことをちりばめて文学的にやる、ペダンティックにするということはやらなかった。

――『著作集』の執筆年などを私のほうで多少お手伝いして、気づいたのですが、特に第二巻、第三巻に未刊の、今まで収録されなかった作品を中心として編集しておりますが、匠さんの全体の仕事を大きく分けますと、日本の近代美術、それからかなり文学的な面があり、そして北海道の人の……この三つがかなり絡まり、あるいは独立して……。もともと文学者的要素があったのでしょうか?

陰里　匠さんが詩を書いたり、そういう文学的な作品を書いたというのを僕は知りませんが、とにかく文学好きなのです。とにかく小説もよく読んでいました。内外の小説を読んでいました、やっぱり。それこそロシア文学からフランス文学まで（笑い）、それはよく読んでいた。

――私にはよくわかりませんが、美術の世界で文学の挿絵とかは従来低く評価されていたのでしょうか？ 匠さんがこういうものを書く以前は。最近はかなり評価されているかと思いますが――。

酒井 少なくとも大正時代ぐらいまでは文学と美術というのは非常に密接というか、夫婦関係にたとえれば、非常にいい関係にあったのだけれど、大正のモダニズムの風が吹きまくるというか、美術が文学から自立する傾向を示す。そこに従来の「文主画従」という関係が崩れてしまう。ただそうは言っても、広く読まれている文学作品というのは、新聞小説をはじめ、挿絵が厳然として大きな役割を果たしている。匠さんは名古屋の画材屋の島本さんのところで出していた冊子に連載していましたよね。

陰里 『素描』。

酒井 そこに小説の挿絵について書いていて、昭和四七年から五九年ぐらいまでですから、かなり長い間書いている。匠さんが美術館に来てそう間がないときに、よく稲垣達郎先生をはじめ近代文学の関係者がいらしていた。いまだに私は紅野敏郎先生とお会いすると、そのときの話になる。日本近代文学館が復刻版を出したときに、『ホトトギス』の挿絵について匠さんが書いたのが、かなりまとまったものの一つだったと思います。そのあと『文章世界』についても書いていて、その『文章世界』に書く前に岩波書店の『文学』に、「明治期における文学と美術の交流」という非常に優れた論文を書いています。文学と美術の関係という課題に関しては、ご自分で車をひかれているという自負があったと思う。どうでしょうか？

陰里 平凡社でしたか、挿絵全集みたいのを出しましたよね。あのときに、匠さんも書いていたと思うのですが、僕は石井鶴三のことを書いた記憶がある。
　要するに挿絵というのは、今のあれだと、いわゆる文学作品の挿絵、イラストというものだったりするけれど、その前の時代というのは、挿絵画家というのは画家自身が生活費を稼ぐために挿絵を描くというのが大半だった。その中から挿絵画家というのが育ってきた。挿絵専門家がいた。文学と絵画というものになると、本質的に共鳴したり、なんかするようなことが起こっていたのは、それこそ青木繁とか蒲原有明、「白樺」の岸田劉生とか突出したある時期があったと思う。大正初めの頃の、同人誌がたくさん出ていた時期。特に版画との関係がたくさんあったと思うけれど、そういう時代があったのだけれど、匠さんの挿絵観というのがどういうものであったか、僕も詳しく話し合ったことはないのだけれど、大衆的なそれこそ高畠華宵《たかばたけかしょう》、蕗谷虹児《ふきやこうじ》など、そういうものに対する関心はあったようでしたね。夢二にもあったと思うけれど、特に夢二がどうのこうのというのは聞いたことはなかった。書いていたと思うけれど。匠さんにすれば、小説やなんかの持つおもしろさと、挿絵の持つおもしろさ、それも大衆的なもののおもしろさというのを持っていたのだと思う。もちろん小出がいて、小出の挿絵というもの、あるいは鶴三の挿絵、本格的な画家の余技のようで余技でないような、そういうものの魅力というのは、言ってみれば本画と違った魅力を持っているわけだから、そこら辺に対する関心は、また一方で強かったのではないかという気がします。本質的には彼の文学への関心というのが、そういうところににじみ出ているということではないかという気がする。

酒井　札幌大谷短期大学の『紀要』で、「雑誌『明星』と近代文学」という長い論文を書かれている。そういう文学と美術の関係の調査研究について、匠さんの熱愛が伝わってくるのだけれど、普通そこまで入れ込んでいたら、何かその現物が欲しくなったり、入手したり、ある種の溺愛の瞬間というものを感じさせられるのだけれど、一向にそういうことはないね、あの人。

陰里　でも、鶴三の挿絵は手に入れたのだよ。茨城の近代美術館に原画を収蔵した。

酒井　持っていた？　あ、そういうことがあったのか。岸田劉生が「新《しん》古《こ》細《ざい》句《く》銀座通《れんがのみちすじ》」の中で「私の生家之図」として入れた挿絵の原画は、茨城県立近代美術館の所蔵になっているけれども、正直言うと、匠さんの挿絵に対する関心というのは、どういうことになるのかな。

陰里　それはね、挿絵も水彩画も似たところがある。従来マイナーなものととらえられていたものへの関心というか。

酒井　マイナーというと、ちょっと下にとるというふうに誤解をうけるかもしれないけれど。自分が接近しやすいというか、分相応というか、何ていったらよいのかしら……。

――陰里先生、匠さんは北海道の画家たちを、かなり取り上げておられますが――。

陰里　匠さんという方は、ものすごく愛郷心が強くてというか。(笑い)　北海道万歳、北海道万歳って、これは食べ物にいたるまでそうなのだから。

――もともとご先祖の、どなたかが北海道人ですか？

陰里　確か、もともとは、彼のうちは神戸か？　二、三代前の屯田兵の時代かなんかですよ。

酒井　私は匠さんの中に何かねじれた興味があるのを感じて来ました。たとえば、北海道出身者には小出楢重っていったって、なんかちょっととっつきにくいだろうと思うのだけれど。やっぱり京都大学に腰をかけていた時期もあるし、何か関西へのちょっと憧れみたいなものがあったのだろうと思います。それから、匠さんの中に威張ったものを嫌うという、絶えずヒトラーのドイツ的なものに対する抵抗感があるのだよね。やっぱりフランスが好きでね。河盛好蔵への共感というのが、非常に深くあったはずです。私がそういう話をすると、うれしそうな顔をして、河盛さんの話になったことが何度もありました。

陰里　河盛さんのエッセイだとか。

酒井　そうそう。ああいうあたりが、匠さんの原郷というか、そういうしなやかさを持っていたような気がします。

――これだけ北海道の人が取り上げられて、そのあとは日本近代美術の、よい仕事をされたわけです。

陰里　北海道のことに関して、僕はよくからかっていたのだけれど。三岸、中原だとか。

酒井　やっぱり札幌一中でしょうか？　三岸好太郎を自分の札幌一中の先輩として調べて、北海道の画家として調べて、日本の画家として調べて、非常に優れたモダニストの洋画家というところへ結論としては持ってくる。その三岸好太郎美術館が、節子さんの努力によって、札幌にできるわけでしょう。土方先生も一役買っているのだけれども、匠さんなしでは考えられませんね……。

陰里　道立近代美術館になるわけだね。

酒井　生まれてくるわけで。そうなると匠さんが種を蒔いたと言っても過言ではない。もう一つは中原悌二郎。三岸好太郎の前に『中原悌二郎・その生涯と芸術』(旭川叢書二)を書いているわけで。これがまた、五十嵐公三さんが旭川市長時代に出版された評伝で、「中原悌二郎賞」が設けられるきっかけとなった仕事です。大袈裟に言えば、旭川を「彫刻の街」にしようというようなことをなさしめたきっかけを作った一人が匠さんだったのです。

――北海道の恩人ですね。

酒井　そうなのだよ。でも、北海道から一つも「ご褒美」もらっていませんね。

陰里　北海道のことになると、匠さんは刺身を食べない。生魚、刺身を食べない。そのくせなんだっけ、きりこみというのかな？　鮭か何かを生で塩漬けみたいにしたもの、そういうものになると好んで食べる。北海道のものでなければだめなのだよ。

――『著作集』の最後のお話として、北海道のことはさておき、匠さんが著作集全体の中で日本の近代美術ついて、外国からの移入、そのほかも含めてですが、やった重要な仕事についてお話しいただければと思います。全体を通して。

酒井 今後の影響ということかな？

――それも含めてです。匠さんがやった著作活動でしょうかね。

陰里 著作活動ですか。この著作活動というのは、特に後半は著作活動と美術館活動というのが絡み合っているのではないか？

酒井 そうですね。

――たいへんいい時代でバブルの前に美術館の企画をだいぶされたと思いますが、その辺も合わせてお伺いできれば――。

酒井 ちょうど匠さんが鎌倉に来られた直後、土方先生の旗振りで『神奈川県美術風土記』（全五巻）をやろうということがあったのです。匠さんがいなければおそらくまとまらなかったと思います。その成果があって、学芸的な研究姿勢というか、そういうものを美術館活動に必要なんだと印象付けた。単に展覧会をやるということだけでなく、美術館は催し物会場ではないんだ……と。やはり学術研究の場でもある、そういうことを印象付けたと思います。土方定一という大変優れた監督がいて、匠さんというプレイヤーが上手に演じたというところがある。美術館に来て初っ端にやった展覧会は、「近代日本美術資料展」なのです。資料展をやったのですよ。

陰里 匠さんが鎌倉で最初に担当した展覧会なのです。僕は他の機関にいたのだけれど、土方さんから「君、手伝ってやれ」と言われ、匠さんとふたりで明治の画家たちの遺族の家をまわったり、片々たるものまで集めて、それで展覧会を開いたのです。古道具屋の店先みたいだという意見もなきにしもあらず。ただ、資料を発掘していて、新しい発見がたくさんあったのです、あれは。日本の近代美術史のある面で、飛躍的というのは誇張しすぎるかもしれないけれど、相当な発掘があったと思います。

酒井　そうですね。私も現場にいて、見ていましたからよくわかりますけれど、特に明治初期の資料についての感触みたいなものを与えられた。たとえば宮尾しげをさんの資料とか、今でこそ不同舎の研究なんかも進んで細かいところもわかるようになりましたけれど、そのころどうなっているのか皆目見当もつかない、形のない世界でしたよ。ですから、一応なんとか浅瀬までひっぱってきたところがある、深海にあったものを。匠さんは〝美術館屋〟としては新参だから、土方定一先生は陰里さんをちゃんと助け舟に用意してあった。

陰里　いま出た不同舎の関係なんかでも、小山正太郎の遺族の家に行ったら、長持いっぱいあったのです。それをひっくり返して、小さな白い布に広げて。工部美術学校のことなんかが、ああいうところで発見されたのが発端だったのです。

それ以後にもちろん公的なものも掘り起こされたのですが。ただあの展覧会に関していうと、匠さんも初めての展覧会だったのです、美術館でのね。ですから、プレゼンテーションというか、それについての感覚というのを彼はまだそなえていなかった。僕は遅れて行ったものですから、展示のときに。だいぶ展示されていて、それをひっくり返して。(笑い)みんなに総攻撃された。匠さんなんでやらないんだなんてね。

酒井　あの人にとっては、プレゼンテーションに対する関心は、調査研究に比べて大きくはなかったと思います。

――原資料をきちんと収集するというのは、すごい画期的なことですね。

酒井　そうそう、画期的ですよね。

陰里　だから、水彩画なんかでも。大下家にね、残っている大下藤次郎の資料を美術出版社に持ってきてもらって、みんな見たりなどということをやりましたね。

酒井　ちょうど近代日本洋画の見直しの時期でもあったのです。たとえば、もっとも集中的に関心を持たれたテーマは高橋由一のことだったのではないかと思います。高橋由一の問題というのは、江戸時代と明治時代をつなぐ画家だったものですから副島三喜男さんと躍起になって匠さんも作品解説（『高橋由一画集』講談社、一九七二年）を書いていたのを覚えています。

ちょうど美術館のほうでは、「近代日本洋画の150年展」という展覧会を一五周年記念でやったのです。これは匠さんにとって知的パースペクティブをより確実なものとして、また感覚の上でも受け止められるチャンスだったと思います。その後、匠さんが鎌倉から茨城へ行く、端境期のときに、一緒にやって、私もお手伝いをしたのだけれど、パリのカルナヴァレ美術館と共催してやった「パリを描いた日本人画家」という展覧会（一九八六年）をやったのだけれども、匠さんの入れ込みようは、尋常ではなかった。全部自分でリストを作ってきて、それぞれの画家に対して作品の選別から、一切合財、とにかくあのちびた字でじゃかじゃか書くわけです。それでコピーしてきて、そのコピーについていちいち検討するわけです。とにかく最終リストを作るまで無我夢中でやった。なにせあこがれのパリだから。パリが好きで好きでしょうがないわけでしょう。そういう先人たちの画家の展覧会をやるわけだから、黙って見ているわけにはいかないのでしょう。私は匠さんが日本の近代洋画だけの中に留まらないで世界的な関連性を探る試みと受け取りましたが、チラッとそういった予感めいたものを感じました。

――かなりの展覧会を企画していますが、その辺につきまして――。

陰里　彼は、著作活動もさることながら、美術館活動にも非常に魅力を感じていたのだと思う。どっからどうなったのか、よくわからないのだけれど、いろいろなことをやることには大変情熱を持っていたみたいですね。もちろん、立場も立場だったろうし。

――毎年のように、ヨーロッパに行っていたようですが。

陰里 やっぱり好きなのですよ、行くのが。(笑い)

酒井 やっぱりかなり遅れた形で、行けるようになったということも、その理由だと思いますけれど。

陰里 それこそエピソードだったら……、パスポートが切れているのに、成田までそれがわからなかった。(笑い)

酒井 あれは大原美術館で講演会か何かをやったときじゃなかったですか?

陰里 それで、その後、皆行ったと思っているから、自宅でひっそりしていたよ。(笑い)

酒井 そうね。そういう、非常に緻密な部分と、大雑把な部分とがあって。いまとなってみれば、人間的な魅力となってあれこれと思い出しますね。おもしろい人だった。

陰里 彼の著述に対する勤勉さに、僕は本当に感心している。しょっちゅう酒飲んでいるわけですから、いつ仕事をするのか? と思うくらい。(笑い)

――奥様に伺いましたら、酒を飲んだ後でも、調べるか、書いているか、毎晩やっていたようです。

酒井 たぶん、そうでしょうね。それくらいやらないとこれだけの仕事はできないだろうと思います。

陰里 酒を飲んでやるかな? (笑い)

酒井 やらない。

陰里 普通は。ちゃんと締め切りをなんとかするのですよね。驚いたのはそこです。

酒井 締め切りは厳守ですね。

陰里 ああそうですか、そういうところは几帳面なのですよね。

酒井 それと感心したのは、小見出しを付ける仕事の仕方。これは自分の仕事がより能率的に捗る仕方を心得た人のやり方であったと思う。

陰里　後はもうできているのでしょう。

酒井　できているのでしょうね。

――沖積舎で本を三冊出版させていただきましたが、ほとんど完璧に原稿は揃っていました、ほとんどどこちらで手をかけなくても。だから、そういう意味でも書くことへの情熱は、すごかったです。

酒井　ある種、編集能力はあったし、頭の中では書くようにできている、言葉の仕組みが。だから、ちょっと壇にあげると、ご挨拶なんかみごとな挨拶をする。ところが飲み屋で話をしていると、何だ？というのがあって。(笑い)

陰里　そうか、挨拶というのはあまり聞いたことはないな。

酒井　なんか、明確さに欠けるところがある人だと思ってね。私たち若造がひやかしたりしているのだけれど、いざ美術館の展覧会のオープニングパーティなんかになると本当に違うのですよね。堂々たる挨拶で、みごとなものでしたね。

陰里　決して雄弁ではないけれど、訥弁であるけれど、おそらくそういう場になると、言うべきことはきちんと言う。ただ時々困ったのは、本当は言ってはいけないことをポロッと言ったりするところがあった。(笑い)公的なところではなくてね。

酒井　なるほどね。それは、私なんかにもある、一種、北海道人に時々見られる粗野なとこなのかもしれない。

――匠さんの著作というのが、これから後進の人たちにどのように影響するかというのは、どうでしょう。

陰里　匠さんの書いたものは、よく利用できるものがあるのですよね。そういうものだと、そのような形で人々に使われると思うけれど。

酒井　匠さんの資質というか、ウィットに富んだ、思いつき豊かなところがある人で、その辺が、匠さんのえもいわれぬ持ち味で、匠ファンがいる証拠だと思います。非常にがっちりとした文章のつくりだけれど、どこかにウィットが働いている。そこら辺が、文学への興味とか、挿絵へとか、そういうものまですくい上げることになったのではないかと思います。

陰里 匠さんというと、やっぱり酒なしには語れない。(笑い)酒は語る。

酒井 そうだね。やっぱりコーヒー飲んでいてはね。

——奥さんに伺ったら、二日に一本ぐらい空けてたらしいです、最盛期は。二日に一本というのはすごいです。

酒井 だって、鎌倉にいたときでも、副島三喜男さんと小町通りの飲み屋で、女将がカウンターに徳利を全部並べきったら今日はただにすると言ったら、二人でやっちゃったんですよ。

——どのくらいのテーブルかわかりませんが、軽く一本ぐらい？

酒井 やあ、軽く二升ぐらいでしょう、二人だから。それもすごいけれど、もっとすごいのは、陰里さんですよね。(笑い)

陰里 いやいや。彼は食べないのですよ。食べずにもっぱら飲む。食べなきゃだめだぞ、体に悪いよと言われながら、あまり食べない。ちょこちょことつまむ。もっぱら飲んでいるのですよ。

——毎晩飲んでいるのだから、夕食はあまり食べない。

陰里 どうしていたのでしょうね。

酒井 お昼だって、ちゃんとして食べるというのはなかったですよ。

陰里 食はそんなにね、大食漢ではなかった。

酒井 食に対して贅沢なところはなかった。ちっとも。

陰里 酒でもそう好みがあるわけではなかった。なんでもよかった。(笑い)

酒井 そうそう、なんでも。

——でも、日本酒か、洋酒か、ビールかというのはあるでしょうが。それもなんでもですか？

陰里　日本酒かウィスキーでしょう、おそらく好きだったのは。

酒井　ただ、さびしがり屋だから、共有する時間を持ちたいと、第三者とね。和して同ぜずみたいなとこがあって、特に晩年そうだったと私は思うけれど、すごくさびしい感じがあった。それは自分の中でやるべき仕事がまだ途中であるということも絡んでいたのではないのかしら？

陰里　そうですかね。鎌倉を辞めて茨城に行く、そこら辺が決まらないとき、名古屋で一晩また飲んでね。これからどうするのだ？と言ったら、やぁまだやることがあるのだって。どんなやることがあるのだ？と聞いたら、『近代日本洋画の展開』の後を書きたいと。だから、そういう気持ちは強く持っていたと思います。形文社から出された『物語洋画壇史』もその一つだったと思う。茨城に行ってからも忙しいから、『近代日本洋画の展開』ほどにはいかなかった。

酒井　それとやっぱり土方先生の刺激だと思うけれど、同時代人としての画家について。そのきっかけは北海道出身者だというのがあるかもしれないけれど、自分と同時代の画家たちについて、けっこう書いています。書いていますが、そういうものをきちんとした形でまとめたかったのではないか？

陰里　同時代、あるいは現代の洋画に対してのクリティカルな面というのが彼に問題があったのだと思う。というのは鎌倉に来たすぐの頃、どこかで飲んでいるとき誰かが現代の美術はどうだ？と彼に質問したら、彼は現代美術には典型がないから……と。彼の美学というのはジェルジ・ルカーチか何かなんですよ。典型があってそれを基準にしてやるわけです。そういう意味で、彼のある意味でのクリティックに関するものがちょっと彼、弱かったのだなという気がしないわけでもない。でも調べることに関しては非常に緻密だったしね。

――これにて終わることに致したいと思います。きょうはお忙しい中ほんとうにありがとうございました。

酒井 そうですね。今のところなんかでいいのではないかしら……最後の締めくくりとして。

陰里 最後に悪口を言ってしまった。若い連中に言わせれば、そういうことでしょう。

二〇〇二年一一月二八日、PM3、横浜（ランドマークタワー25F）、
進行・記録＝沖積舎・沖山隆久
沖積舎『匠秀夫著作集第三巻』付録

II

批評の妙術―河北倫明

わたしが河北倫明（一九一四―一九九五）氏にはじめてお会いしたのは、まだ、よちよち歩きの学芸員のときですから随分まえのことです。何かの用事で土方定一館長について、まだ京橋にあった頃の国立近代美術館をたずねたときです。一階エレベーターのところで、たまたま河北氏に出喰わすことになり、「こんどカマクラに入った青年ですネ」と、土方先生に念を押され、わたしの背中を軽くたたいて立ち去られたのを記憶しています。

こういうときの土方先生は、たいてい同僚か友人のような紹介の仕方をするので困ったりしたのですが、この、ほんの数分の小さな偶然が、わたしにたいする河北氏の無言の励ましとなって、その後、折に触れて想い出されるのです。初見とは妙なものです。学恩はもっぱら多くの著作からいただき、置酒歓語のもてなしといっても相対《あいたい》の関係というよりは余人の交わりのなかでのこと。ですから河北氏とのさまざまな出会いの印象を、いまこうして書いている時間のなかで辿ると、どうしても最初にお目にかかった日のことが浮かび上ってくるのです。

勝手な捏造は、もとよりつつしまなければなりませんが、時代劇や西部劇のヒーロー（剣や銃の使い手）が、相手を牽制するときの、あの緊迫した一瞬にも似ていて、この人は奥の深い人だと直観した、わたしの河北氏にたいする印象は、なかなか消えないのです。涵養《かんよう》された靭《つよ》い意志の、その凛然たるようすのうちに第三者につたわる電流のようなものかもしれません。その証拠に河北氏と近づきをもつ方々の、それぞれの感受の印象をたずねてみても、いずれも悠揚迫らぬ度量の大きさ、懐の深さの並みではないようすを語っています。ですから「全体人」などという形容も相応しい気がしてきます。

＊

たしかロダンのことばだったのではないかと思いますが、肉づけは骨格に随伴する——とありました。これは、本来、彫刻の「真髄」を語ったことばですけれども、何事によらず芯棒がきちんとしていなくては成り立たないということでしょう。この伝でいきますと、河北氏の幅広い活動と経験も、当然、自らの生の全体への浸透力とも関連して、その芯棒が気になります。しかし、芯棒がみえるようでしたら「全体人」などとはいわない。あえていうなら問題の立て方と、その問題の解決の仕方において独特の手腕を発揮されてこられた人だと思います。

しかし、目下、わたしに求められているのは、氏の幅広い活動の業績全般にたいする評価というより、著作を介してのもっと個人的な感想のような気がします。

はじめてお会いしたときの河北氏は、もうすでに大家の風格でしたが、名著の評判の高かった『青木繁—生涯と芸術』（養徳社、一九四八年）が、新書版（角川書店、一九六四年）になった頃ですから五〇歳前後ということになります。が、その辺のことは擱《お》いて、この『青木繁』を再読三読したのをおぼえています。ずっと後になって、わたしも青木繁について一文を草したときに、あちこち引用していますから感銘を受けた箇所も時々によって異なりますが、いずれにしましても青木繁と対照的な生涯をおくった同郷の坂本繁二郎にふれた一節に、わたしは河北氏の思索の運動の、いうならば楕円の二定点をみたように思いました。それは新書とする際に加えられた「じゅげもんの世界」という一文です。

「思索のようすや、精神の構造を辿ってみると、やはり、屈折に耐え、その苦悩を知っている者だけが抱き

う る凝結した毅然たる構えがある。相手を受けいれながら最後ギリギリ一歩も引かぬド根性が、誠実と温情と叡智《えいち》の底に強烈な軸として立っているのである」（A）。

「よく坂本繁二郎を脱俗仙人だとか、哲学者だとか、あるいは逃避者だとか、せいぜい自分の知識の範囲で簡単に片づける人が多い。しかし、そんな程度のことで、あの無類の感がある一念こった坂本芸術ができるかどうか、もう一度まじめに考えてみるといい」（B）。

引用した二つは、（A）の作家の「精神の構造」を闡明《せんめい》にする試みと、（B）の批評の水準とに分別されます。（A）においては『村上華岳』（中央公論美術出版、一九六九年）に代表される作家論に結実し、また（B）においては構図の大きさと見通しをもった史観を形成しつつ個々の作家を位置づけ、あるいは「近代の文人画」（『現代日本の美術一二』、小学館、一九七九年）や『横山大観』全五巻（大日本絵画、一九八〇年）のような仕事へと展開。この二つの傾向はもとより相互に密接するところがあります。たとえば『東行西行』（三彩社、一九七〇年）をはじめとする多くの随筆集にみごとに生かされていると思います。

いずれにしましても、ここで指摘しておきたいのは、新しい思想の火種を大事に育て、それを自家薬籠中のものにしてから活用する弾力のある考え方を採用しているということです。いかなる思想もそれ自体では存在しない。新しい創意工夫が加わらなければ生きたものとはならないからです。たとえば作家の創造性の問題ひとつをとっても、河北氏は氏自身のことばにして提言しています。しばしばわたしが傾聴するところとなった「棲み分け、棲み拡げ」論もその一例です。おそらくもとを辿れば、生物社会の空間構造を究明する生態学や、それを人間社会との関連のなかで考察する人類学などの、いわゆる今西錦司氏あたりの京都学派の独特の理論展開とむすびついているようなところがありますが、美術の領域において、より刺戟的なかたちで提言されたのは氏がはじめてです。とくにモダニズムの理論（建築やデザインなどをもふくめて）を「棲み拡げ」というふうに類別されたのはみごとな指摘だと思います。

国際化時代のなかでの日本の現代美術が、これまでにない変貌をとげている状況を鑑みて、作家たちのアイデンティティの、そのよって立つ「根」について囂《かまびす》しく論じられている昨今、この河北氏の提言はまさに傾聴にあたいするものとなっています。そう、時代は「棲み合わせ」の模索のなかにあるからです。

＊

しかし、こうした予見的な批評が、何の用意もなく出てくるとは考えられません。学際的な関心と美術館活動を通じて経験された、さまざまな背景を予測してみなければなりません。こんど『河北倫明美術時評集』（思文閣出版、一九九二年）に眼を通してみて、一九五〇年代以降、驚くべきエネルギーで執筆されているのを知らされました。やはり美術の「現場」との、その対応のなかで用意されたのだということを改めて教えられました。多方面からのさまざまな解釈を、平易な文章で論じる河北氏の表現の妙術には格別のものがありますが、わたしは問題を設営する興味と、それを養い育てる意志の持続にあったのではないかと思っています。とくに深い関心をもった作家（たとえば「胸中一〇選」）については、時を異にしていくども論じていますが、いずれも新しい視点の導入があって、発見の眼を感じさせます。

しばしばドグマティックになるのが落ですから批評における方法論の確立などとはいいたくありませんが、卓見とは現象する波紋の底をみぬく力と、逸《はや》る心を制して的確な判断を下すところに生まれるものではないでしょうか。河北氏の批評の仕事が信頼をもってむかえられているのは、人間の生存と深くかかわる過去→現在→未来という時間の連続を縦糸に、グローバルな視点を横糸にして、論じる対象を生彩のあるかたちで展望しているからです。一種の生命主義的な語彙にアクセントがあるのは、ひとつにはそれが、河北氏が批評の仕事を開始した時代のことばの感覚のうちにはたらいているものだからです。イギリスの美術批評家ハーバート・リードなどは、その典型的な例といっていいでしょう。

しかし、河北氏の思索の運動は、生命を外からではなく内からとらえようとする点において特長的です。これはおそらく、東洋人の美意識の特質とむすびついた性質なのかもしれません。とくに日本近代の美術を主要なテーマとした場合には、西洋の分析的な解釈と語彙をはばむところの、一種の直観と含みのある曖昧性を、しなやかに掬《すく》い上げるところがあります。鈴木大拙のことばをかりれば、生命というのは「宇宙的無意識」ということになりますが、河北氏の「日本美術にみられる西洋の影響」(『日本と西洋』講談社、一九七九年)は、こうしたところの経緯を意をつくして論じた興味深い一文といっていいでしょう。

ところで、河北氏の著作からわたしがひとつだけ選ぶとするなら(個人的な想いを重ねて)、『村上華岳』を採るでしょう。また批評の愉しさということになれば、これは文句なく「器用者の世界」(『日本文化研究』第六巻、新潮社、一九五九年)ということになります。小さな冊子で出版された「器用者の世界」は、岡倉天心や和辻哲郎などの著作を部分的に援用しながら、自らの体験をからめて論じた日本文化論となっています。まだ四〇代半ばの、溌剌《はつらつ》した氏の姿がそこにあります。

一文を求められて、あちこち読みちらしたわけですが、九牛一毛ととられかねないのを承知の上で、河北氏のなかでもとりわけ小さな(短い)文章の一節を引用して、わたしの責めをふさぎたいと思います。

「白隠の書や絵をみていると、われわれのうちに眠っている何かがドカンと刺激される気する。目覚める感じがするのだ。絵画的な絵画なるものがまるで失っている恐るべきものが簡単にそこに実現されている」。

——河北倫明著『美術批評　上（一）』（思文閣、一九九四年）

＊

振りかえってみると、河北さんとは会議や審査などで同席したときのことが思い出される。

わたしはいつも末席に連なっていたが、直接、河北さんと職場のかかわりがなかったせいかもしれないが（土方定一の門下生ということも理由の一端にあった気がするが）、結構、親しくしていただいた。静岡新聞や熊本日日新聞社などが主催する公募展の審査であるとか、またいくつかの財団の会議でもご一緒する機会があった。たいてい河北さんが座長というか取り仕切っていた。

そんななかでの一齣《ひとこま》だが、ある審査が難航してたまたまトイレで隣り合わせたことがあった。そのときに「あの人の推す作家は駄目ですね」と断定されたのでびっくりしたことがあった。

作家・作品というより選考委員の審査をしているのである。

また審査を終えたあとの食事会でのことだが、わたしは下戸にちかいので酒のほうは遠慮することがあるけれども、河北さんは、イケる口で、もっぱらブランデーのお湯わりを飲んでいたのをおぼえている。

「若いときは、日本酒ならいくらでも飲めたからね――」

と、笑みを浮かべていた。

どちらかというと、河北さんは、作品を選って、こまく当落をつけるということに、それほど関心があるという人ではなかった気がする。

まあ、よきにはからえ――といった按配である。

おそらく、この懐の広さと些細なことを気に止めない度量の大きさが、新設の美術系大学や美術館（人事を含めて）をスタートさせる中心的な役割を担わされることにもなったのだろうと思う。

公立美術館を束ねて、一九八二年に「美術館連絡協議会」を設立したときの担い手のひとりでもあった。当初は三五館の参加であった。現在では一四〇館を超す組織にまで膨れ上がっているが、その初代の理事長としての挨拶でこんなことばを残している。

「天の時、地の利、人の和」という『三国志』のことばをとりあげて、この協議会の協和関係を強調していた。また河北さん独特の語感で「しなやかな連合体」を基本理念としたい、とくりかえし述べられていたのをわたしは記憶している。

調整の人──嘉門安雄

嘉門安雄（一九一三─二〇〇七）氏が、この一月五日に九三歳で亡くなった。日本の美術界（ないし美術館界）から経験豊富なスペシャリストがひとり静かに姿を消した──という印象である。

晩年は東京都現代美術館の館長を辞して、自宅にいることが多かったが、八〇年代後半までは、文字通り現役の批評家としても活躍していた。だからけっこうお会いする機会があった。耳の遠くなったのを苦にされて、会議などでご一緒のときは、わたしにこっそりと援けてくれよねと、隣の席に座らされたりしたものだが、そういうときでもいたって爽やかな感じであった。

多くの委員会や選考会にも姿をみせ、宴会の挨拶や乾杯の発声にも、しばしば壇上に立っていた。ソフトな人柄そのままに、ちょっと冗談をとばして「ぼくには、こんな役目よりほかになくなりましたかね」などといって笑わせていた。

が、じつに話術の上手なひとでもあった。それは堅苦しい会談などの空気を換え、くつろいだ雰囲気づくりにも一役買っていた。仕事も専門領域を保持してエラぶることはなく、平易を旨として広い理解を求める方向にはこんでいたように思う。そうした嘉門さんの姿に、もうお会いできないというのは、まことに淋しい。

＊

嘉門さんは一九一三年（大正二）、能登半島の西の端にある門前町（石川県）に生を受け、小学生のときに父の仕事（大きな北洋漁業主であったと聞いていた）の関係で北海道の根室に住んだこともあったという。そこの商業高校を出たんだ——と、少々テレながら話されたことがあったが、こうみえても（いささかヤサ男風でもあったから）、気性の芯はつよいのだ、といわんばかりの颯爽としたところをもっていた。しかし、たいていの場合、我を通すというより調整役にまわることのほうが多かった。

東大で美学美術史を専攻して研究室の助手をしていたが、戦後の一九四七年、東京国立博物館に採用されて、「西洋美術名作展」の開催に協力し、そのあと「マチス展」、「ブラック展」「ルオー展」などを担当。一九五九年開館の国立西洋美術館に移り、さらにブリヂストン美術館の館長（一九七六年—九五年）として活躍。最後は東京都現代美術館の館長（一九九四年—二〇〇〇年）をつとめた——というように、嘉門さんは生涯の大半を美術館人として過ごしている。

初仕事は国内で作品のすべてを調達したという「西洋美術名作展」（一九四七年）であり、また戦後日本の美術愛好者のあいだで大きな話題となった「マチス展」では、マチス本人のこまかい展示の指示を受け、あらためて展覧会（嘉門さんは「博物館学」といっているが）の基本について学習したと語っている（「美術館の仕事は裏方」『心泉』一九九六年一〇月号）。

＊

いっぽうで嘉門さんは、戦後の美術批評界のなかで、明治生まれと昭和生まれの批評家たちとをちょうど繋ぐかたちの大正生まれの批評家として活動した。美術史研究のほうでは、レンブラントや北方ルネサンス美術についての著書（『北方の画家＝大地の祈り』（美術公論社、一九八二年など）のほか各種の美術全集の編集や執筆に携わっている。

どちらかというと、嘉門さんは専門領域に執着するという性質のひとではなかった。批評や研究においてもいわゆる一筋とか一途な——といったイメージからは遠く、いつの場合も平易であって、広い理解を求める方向にはこぶことを心がけていたように思う。

いまになって想いだすのは、よく地方の美術展の審査で（たいてい一泊二日）顔を合わせたことである。宇部市の「現代日本彫刻展」や神戸市の「須磨離宮公園現代彫刻展」あるいは久留米市の「青木繁大賞展」など、年に数回、わたしはお伴をした。いつもしゃれたいでたちで高級ブランドの小バッグを手にし、外国製の細長いタバコを愛煙されていた。夜のほうのつきあいは、いわゆる二次会にくることはまずなくて（そのせいではないが）、わたしは嘉門さんの酒席に接する機会をもたなかった。が、それはともかくとして、こうした審査での嘉門さんの、あの何ともいえないユーモアと捌《さば》きのよさには感心させられた。

ある意味で審査のような仕事は、嘉門安雄というひとの人柄がいちばん集約されていたように思う。なかなか、ああは上手く事をはこべるものではない。嘉門さんが仕切らないある公募展の審査会で、たまたま野見山暁治氏とご一緒したときに、進行がとどこおってもめたことがあった。そのときに野見山さんが「嘉門さんがいたらねぇ——」と、わたしにつぶやいたことがあったのをおぼえている。

特に印象に残っているのは「現代日本美術展」（主催毎日新聞社、旧東京都美術館）での審査会であろうか。素早い判断でまとめるその手配は、まさに「審査の妙」（注）といえるものであった。

——「新美術新聞」（二〇〇七・二・一一）＋「美術批評家連盟会報」第八号（二〇〇七・一一）

注　拙著『鍵のない館長の抽斗』（求龍堂、二〇一五年）所収の「審査の一齣」を参照。

中山公男—美術史にあそぶ

たいてい箱根駅伝をテレビで見て、一喜一憂というのが、わたしの正月ですが、今年は一冊の本と偶然にめぐりあってじつに意義ある新年を迎えることができました。初仕事に、と思って、ここで紹介（書評ではありません）することにしましたが、なんと五〇〇ページにおよぶ中身の濃い内容で、くわえて、わたしにもなじみの人たちがたくさん登場するので、つい、あちこちページをひらいては懐かしさに耽ってしまいました。

私家版として刊行されたという中山公男氏（一九二七—二〇〇八）の『私たちは、私たちの世代の歌を持てなかった。』（生活の友社、二〇〇四年）ですが、本題の脇に「ある美術史家の自伝的回想」と付しています。

一読、これはどうしても本誌（『美連協ニュース』）の読者に読んでほしい、というわたしの気持ちからペンを執ったようなしだいなのです。というのは、雑誌連載中コピーにとって、鞄にしのばせたりしていましたから、わたしにとっても待望の書といってよく、一個の普遍的精神が、ここには優雅さと、一種、独特の芳香をもってかがやいている、と感得するものがあったからです。特にアンティーヴのピカソ美術館で開催されていた「一九四六年、再建の美術」展との、予期せぬ出会いからはじまる回想は、どこか乾いた知性とフランス的なエスプリを滲ませていて、清々しく、いかにもこの著者らしい序奏となっています。こういう回想の形式で自分史を語る際、どういう景色から入るかと思案するものですが、地中海の小さな港町に立つ著者を想像すると、やはり、いかにも中山さんらしいな、とわたしには思えました。

戦後、日本の美術界に陸続と紹介される、フランスの画家や彫刻家の作品を前に、著者は、この「一九四六年」

という時点での、つまり昭和二一年に自身が置かれていた地方の旧制高校（新潟）での青春の記憶がよみがえって、ちょっと暗い影を落としています。現状を肯定する以外に希望の持てなかった時代に、すでに画集や書物だけで「美術マニア」となっていたという一五歳の中学生が、外での戦争に巻き込まれ、そうした自分を美術や文学（そして音楽）の世界に逃げ込むことによって、戦時中の日々をやしなっていたとはいっても、それは暗澹たる現実であったことに違いありません。

敗戦を迎えるのが昭和二〇年、しかし、その翌年二一年の晩秋頃のこととして、著者はこんなことを言っている。

「何かが私たちのなかで死んでいった――」と。

＊

名著として知られる『西洋の誘惑』（新潮社、一九六八年）の読者なら「幻影としての西洋」に、著者が限りない自己同一性をもとめていたことを想起するはずです。本書のなかでも、この点に関して一章を割いていますが、とにかく、美術や文学への身の寄せ方の一通りではないことには驚かされました。また何かと不便な時代に、よくもこれほどの美術書を渉猟したものだと、これまた驚かされました。

が、これは見方を変えれば、「歌を持てなかった」世代の著者が、人生の欠落を埋める夢の持続としたものが、すなわち美術や文学だったのだと言えるのかもしれません。

半世紀を経て振り返る回想の水脈は、多方面におよんでいます。そして人生にはじつに不思議な出会いがあるものだということを教えてくれます。

大阪船場の裕福な家に生を受けた著者の幼少年時代の記憶も、暮らしの具体にむすびついて、鏑木清方の画巻《朝夕安居》とかさねるくだりなどは、一枚の風俗画を見る思いがします。また「虚業の声」に怯えながら——専攻したという大学での西洋美術史が、その学問の実際性や即物性より方法論へと傾いていた時代の偏重に、著者は飽き足りないものを感じていたようすを記しています。それは「もっと体臭のあるもの、感覚的な要素」を持ったものとのかかわりにおいて「西洋」を体験したい、というのが、著者の気持ちであったのだろうと思います。

本書の性格上（自伝的回想）、特に学問への言及はしていないけれども、著者が師や友人たち、そして通りすぎていった人たちの多くの肖像を描くことを介して、自らの進退をも記している箇所は、まさに著者の「詩と真実」といっていい。わたしの個人的興味としては、麻生三郎宅を訪ねて、丸谷才一氏が松本竣介と筆談している箇所などは忘れがたい。

これは著者自身の生の土台を掘り起こして、その生の痕跡がいかなる社会のかたちを持つのかをたずねた自伝です。同時に一美術史家の内的時間の感覚を記録した「昭和史」となっている。ちょっと長めの表題にしても、修辞の綾《あや》ではなく、一種の通奏低音となっていて、なるほどそうなのか——と、いくども納得しました。著者の内的時間の微妙な感覚と、時間が示す現実とのはざまに、このフレーズがそえられているからです。

——「美連協ニュース」八五号（二〇〇五年二月）

＊

中山氏のことで想いだすのは、氏を囲んであそんだ麻雀のことである。一九八〇年代はじめ頃ではないかと記憶しているが、その時分、中山氏は渋谷のあたりに仕事場をもち、駅の近くのジャン荘とは馴染みのようで、いくどかわたしもそこへよばれることがあった。〝カモ・ネギ〞の類に入れられていたわたしのほかには、大学や美術館関係者、あるいはカタログ製作の業者（座右宝、美術出版社、印象社）などもメンバーに加わって、結構、賑やかな雰囲気であった。テツマン（徹夜）におよぶこともあって近くにあった福田蘭童の店で空腹を満たしたこともあったのを、ぼんやりとだが目に浮かぶ。

そんなこともあって、一九八六年に中山氏が高崎市の群馬県立近代美術館の館長に就任され、しばらくしてから、わたしは作品収集委員会の委員の一人になった。そして収集委員会の日に行ってみると、旧知の木島俊介氏や長谷川三郎氏も委員になっていて、県の担当者から終了後に伊香保温泉に宿泊の用意がしてあります――と言われた。

咄嗟に、卓を囲むのかもしれないと思ったが、その通りになって、朝までつきあうことになった。中山氏との裸のつきあいとなったが、食事のときに碁の話におよんで誘われた。しかし、わたしはザル碁である。ところが、中山氏は聞くところによると、五、六段とかいうので、イヤイヤとても相手になりませんよと遠慮した。とんでもない御仁である。あそびの領域はともかく、話でも書くものでも狙いがピシャリと決まっている。余計な恣意に走らない。知ったかぶりもしない。とにかく、ほんとうの意味で頭のいい人という感じである。そういう御仁が、麻雀などという無為の時間に溺れているのである。だから人生というのは、やはり面白いなあ――と自分に言い聞かせて、わたしはつきあっていたように思う。

拙著を小沢書店から出していた関係で、中山氏が一九八八年に同書店から出した『美しき禍い』を頂戴して読んだときに、わたしはびっくりした。まったくと言っていいくらい他人の引用がない。それでいて独りよがりではなく、見通しをもった意見を述べているのである。もとより注などという煩瑣《はんさ》なものはない。

いずれにせよ、中山氏はべらぼうな読書家であったはずである。『日本美術年鑑』（二〇〇九年版）の「物故者」

欄によると——蔵書は吉野石膏美術振興財団に寄贈され、約三〇〇〇点あまりが「中山文庫」として公開されているのだという。

大島清次氏の横顔

大島清次氏（一九二四―二〇〇六）が亡くなって、はやいもので今年は一二年目である。ふだんは気づかずに過ごしていることでも、ふとした折に氏とのかかわりを感じることがある。

わたしの館長室の仕事机も、坐っている椅子も、氏が使い、残していったものである。仕事上のことでも、この仕事はもともとこんなふうにして始まったのですよ――などといわれると、無下にもできないので過去の経緯を聞く。そして仕事の本来を見つけ、いま現在の創意工夫をソーッと加味するなどして活かす試みをしている。

しかし、何事も成果ということになると、時の審判を俟たなくてはならない。逆風のなかの公立美術館としては、まずまずの健闘をしてきたのではないかと思っているが（欲目の判断）――まあ、何とかやりくりしてきたというのが実情である。

そんなわけで、大島清次氏の横顔をここに描くけれども、わたしの想い出のなかの小さな記憶が頼りないので、大きく構えた像にはならないだろうと思う。

＊

わたしが大島氏のあとを承けて、世田谷美術館の二代目館長をつとめることになったのは、二〇〇四年四月のことである。

その二年後のことであった。偶々、美術館が開館して二〇周年を迎えるというので、記念シンポジウム（一一月二三日）を開催し、その一環として講演会をすることになった。わたしは「美術館について」と題して、これまでの体験をまじえながら語り、また勅使河原純氏が「世田谷美術館の二〇年」を年代記的に語るというものであった。

　ところが、その講演のさなかに、実は大島氏が栃木県下野市の病院で息をひきとった——ということを、後日、わたしは新聞の訃報で知り、何か不思議な因縁を感じ（虫の報せということではないけれども）妙なめぐりあわせもあるものだと思った。

　略年譜風に記すと——

　大島氏は、一九二四年に栃木県宇都宮市に生まれ、そこで育ち、早稲田大学を出たあと、地元の県立高等学校で教えている。それから法政大学などで教鞭をとることになっているが、栃木県立美術館の副館長（後に館長）となるのは、一九七二年のことであった。

　この美術館は高度経済成長期に、数多く誕生した地方公立美術館の先陣を切った一つであった。

　大島氏の指導のもとで、県下の美術文化を魅力のあるものとすべく、県出身の優れた美術家の発掘や調査・研究を積極的に進めている。なかでも慧眼の士に評価された高久靄厓《たかくあいがい》や清水登之《しみずとし》などの調査・研究があり、いっぽうでは国内外のさまざまな斬新な企画展を開催して注目されている。地方公立美術館の一つのモデルケースとしての役割を担った活動を大島氏は自ら指揮していた。

　ところが、ある公募展（「第四回北関東美術展」）に端を発した、了見の狭い地元の批判や攻撃を受けて（それが直接の原因ではないだろうが）、一九八四年に美術館を去ることになったのである。

　そのあと開館を翌年に控えた世田谷美術館に、氏は仕事の場を移し、以後、館長としてあらたな手腕を振るうことになる——

いずれにせよ、わたしの記憶している大島氏は、どちらかというと美術館人としての印象がつよい。けれども、氏は数々の著訳書を刊行している美術史学者であったことも事実である。わたしがたまにお会いしても、氏は若い美術史学徒たちのことを話題にしたし、また新刊書についても蘊蓄《うんちく》のあるところを披露してくれた。

氏のその方面の研究で代表的なものを挙げると、西洋美術史研究の学徒にとっては、かつて必読書の一冊といわれたピエール・フランカステルの『絵画と社会』（岩崎美術社、一九六八年）の訳書がある。

さらに氏の代表的な著作といえば、『ジャポニスム』（美術公論社、一九八〇年）があり、この領域の先駆的な研究書として注目された労作であった。これが講談社学術文庫（一九九二年）に入ったときに付された稲賀繁美氏の「解説」は、この領域の包括的な研究の推移を語っていて、直接、著書を解説したものではないけれども、言い方をかえると、大島氏が、後進の学徒に託した夢の実現（成果）となっていたと解していい。それは日本におけるジャポニスム研究が、大島氏の目指した国際的な水準に達したことを示すものでもあったからである。

わたしは、この方面の研究に疎いので、子細は避けるが、丸谷才一氏が新聞の読書欄（「日本美とバーコード」朝日新聞朝刊、二〇〇六年一月一七日）で、この『ジャポニスム』を高く評価して紹介していたのをおぼえている。

しかし晩年の大島氏は、美術史研究者というよりは、美術館人としての発言のほうが目立っていたように記憶する。各紙誌に紹介された氏の発言やインタビューなどの記事は、相当数にのぼるのではないかと思う。とりわけ印象に残っているのは『美術館とは何か』（青英舎、一九九五年）を刊行するまでのいきさつであるが（ここでは省略するが）、自らの経験を踏まえて語ったこの本の内容は、一種の回想記であると同時に、日本の公立美術館への熱き提言の書となっていた。

大いに参考とするに足る一書と思って、わたしは再読三読し、いまでも書棚に置いて手にすることがある。しかし続編の『「私」の問題＝人間的とは何か』（青英舎、二〇〇一年）になると、あまりに哲学的な思索を要求するところがあって、正直、わたしの能力では読みつづけられなかった。

＊

振りかえってみると、わたしと大島氏とのかかわりは、現代イギリス美術への関心が、そのきっかけである。特に木を素材にして、自然との共生をもくろむイギリスの彫刻家デイヴィッド・ナッシュの存在があった。

わたしを大島氏に近づけることになった彫刻家であるけれども、大島氏にとってのナッシュは、国際的な視野に欠けた地方公立美術館の、その環境をかえるために投じられた、文字通り、果敢な一石となるべき存在であった。

ある意味で日本の現代美術は、世界の新しい芸術潮流に同時代的に対応する状況になりつつあったが、地方公立美術館（あるいは美術関係者）は、まだまだ旧態依然としていて閉鎖的な印象がつよく残っていた。それだけに若いナッシュを招聘し、日本での現地制作を支援するという実験的な試みは、じつに先駆的な事例といってよかった。

一九八二年に開催された「今日のイギリス美術」展（五会場を巡回）は、その点では特別な意味をもつものとなった。出品者の一人であるナッシュは、現地制作することになった、その三週間にわたる現地制作の最後の頃に、彼は《ウォーター・ウェイ》を制作して、栃木県美術館の野外ステージに設置したのである。

これは自身の自然哲学を結集した、いわば象徴的な性格をもつ作品であるが、孤独な作家の想像力の産物＝

作品に閉ざすのではなく、ちょっと大袈裟に聞こえるだろうが、ある種の濃密な空気のなかに発生する共同作業の歓びや感動を引き出す装置と化したのである。

多くの人の手を借りて実現したこのプロジェクトが、二年後の一九八四年に開催される「デイヴィッド・ナッシュ　樹のいのち、樹のかたち」展へとつながってゆくのは必然的な成行きでもあった。

大島氏は栃木県立美術館時代に、いくつもの野心的な企画を立てているが、そのなかでもとりわけ忘れがたいものとなったのが、この「デイヴィッド・ナッシュ」展だったのではないか、とわたしは思っている。

＊

一九八四年の一〇月下旬――ナッシュの二度目の来日で、数か月前から彼は各地で現地制作をし、その日は最終段階で奥日光に入るという前日のことであった。

ナッシュが、一度目と二度目の来日で制作した作品に、イギリスでの仕事を加えた「デイヴィッド・ナッシュ」展は、大島氏の要請もあって美術館連絡協議会の協力を得て巡回されることに決まった。

それに併せて同協議会の「JAAM会報」（第六号）に、ナッシュ夫妻を囲む座談会を掲載するというので、わたしもその一人に加わり、東武浅草線（ロマンスカー）に乗り、泊りがけでナッシュ夫妻の宿舎である湯元観光センターへ行くことになったのである。

ナッシュ夫妻は、小学生の二人の息子を連れてきていた。子供たちは湯元観光センターのなかを駆けまわっていたが、クレア夫人のほうは夕食の支度をすましてからようやく顔を出した。

座談会は大島氏の司会で進行し、三、四時間にもおよんだ。ナッシュの話は自身の自然観と彫刻に対する取りくみ方、いっぽう夫人は子供の教育などを話題にして、多岐にわたる内容となった。若い彫刻家のスターン・アンダーソンが通訳を担当し、宿舎の管理人ほか数名も一緒に食事をともにしながらの和やかな話合いとなった。だから四角四面の形式的な座談会にはならなかった。すべて大島氏の心くばりによるものであった。ふだんは比較的早口で自説を語る氏が、その夜は、どちらかというと、聴き役で、わたしにナッシュへの質問を振るようにしていたのをおぼえている。人間的な触れ合いを大事にして、ナッシュ夫妻をもてなす姿勢が、暗々裏にはたらいていたからなのかもしれない。

日焼けしたナッシュと、制作現場で手伝いをしていた担当学芸員の塩田純一氏が、まるで樵《きこり》の兄弟のようであったのを記憶している。

この奥日光での数週間前であった。わたしと大島氏は「現代彫刻国際シンポジウム」（KBSびわこ教育センター）に数人の批評家とシンポジウムのパネラーとして出席し、すでにそこでナッシュとは会っていた。

これは世界湖沼会議の開催と、新しくできた滋賀県立近代美術館の開館を記念して行われた国際的な規模のシンポジウムであった。ナッシュのほかにリュックリーム（ドイツ）、A・アイコック（アメリカ）などの海外の作家たちが招待され、それぞれがレクチャーとワークショップをし、またハーシュフォン美術館のC・W・ミラードの彫刻史の話や、ヨークシャー彫刻公園のP・マリーのユーモアに富んだ体験談などがあった。

このシンポジウムでは、いわゆる「野外彫刻」についての実践的な話に感心したと同時に、現代彫刻についての新しい語彙をもつ歓びに浸ることができた。

しかし何といっても鮮烈な印象を残したのは、ナッシュであった。湖畔に設置された《梯子》のシリーズは、いまでも目に焼きついている。おそらく大島氏にとっても印象深い光景だったのにちがいない。

＊

大島氏が積年の思いを綴った『美術館とは何か』についてはすでに記したが、日本の公立美術館と海外の美術館（この場合アメリカの美術館）との活動の連携を図る可能性がある――という話が、氏からわたしのところにもたらされた。

それは、こんなことであった。日米協同の「ミュージアム・プロフェッショナル・エクスチェンジ・プログラム」という案件を携えてマーチン・フリードマン氏（ウォーカー・アート・センター元館長）が来日し、国際交流基金を窓口にして（日本の公立美術館の学芸員のトレーニングという面もあって）、日本から学芸員をアメリカの然るべき美術館に派遣できないか、というものであった。大島氏がフリードマン氏に会い、その意向に賛同し、就いてはそちらはどうか――という問い合わせであった。

雨の日に傘も差さずにフリードマン氏が、わたしのいた神奈川県立近代美術館（鎌倉）を訪ねてきたのである。早口でしゃべりまくられたのには閉口したが、それでもこの計画には大いに便乗したい旨をわたしはフリードマン氏につたえた。

しばらくして、このプログラムは国際交流基金の肝煎りで動き出し、世田谷美術館は当初通りに学芸員を派遣し、神奈川県立近代美術館は別の目的（展覧会の共同企画）で何とか対応させることにしたが、結局、日本の公立美術館の制度には適合させにくい条件が多々あって頓挫してしまったのである。

いま思い返すと、このプログラムにどのように対応するかという段階で、わたしは日本側の事情ばかりが気になって、いわば閉じた考えにとどまっていた。しかし大島氏はむしろいかに開くべきか、という発想へと舵を切ろうとしていたところがあった。その意味で（本人はどう思っていたかは知らないが）、氏には申しわけなかったという思いが、わたしに残っている。

大島氏が美術館を離れて半年が過ぎた頃に、氏を囲む会（国際文化会館、二〇〇三年九月二〇日）が催され、そこで氏は「美術と美術館と私」と題した講演をしている。アメリカの親しい美術館人に贈られたという美術随想の本を紹介し、「美術館教育普及国際シンポジウム」（横浜国際平和会議場、一九九二年）の実現までの話や自然と人間のことに触れてナッシュとの思い出を語っていたように記憶している。

心なしか体の衰えを感じさせたが、生真面目さや意志のつよい感じはそのままであった。このときがお会いした最後となった。

北関東の人に特有の、ひょいと語尾のあたりが揚がる話し方で（わたしも北海道の積丹訛りがあるので）、そうした点では、いつも何となく近しいものを感じていた大島氏であった。

――『世田谷美術館紀要』一九号（二〇一九・三）

三木多聞氏を偲んで

しばらく病をやしなっていたと聞いていた三木多聞氏（一九二九―二〇一八）が、去る四月二三日、八九歳で亡くなった。

三木さんは、戦後日本美術のさまざまな動向をつぶさに見届け、なかでも彫刻の世界についての蘊蓄は半端なものではなかった。まるで生き字引のような人であった。そんな一人の美術批評家が、静かにスーッと消えた感じで惜しい人を失ったという思いがつのる。

ふりかえってみると、長く東京国立近代美術館につとめたが、その後、文化庁に一時籍を置き、国立国際美術館長、そして徳島県立近代美術館の初代館長となり、最後は東京都写真美術館長をもつとめている。

その間、「1970年8月　現代美術の一断面」展（東京国立近代美術館）などの画期的な展覧会を数々実現し、戦後美術を担った作家たちの信頼を勝ち得たが、そのいっぽうで高村光太郎、保田龍門などの基礎的な文献・資料の調査をふまえて、明治期以降の近・現代彫刻の通史的な意味づけをした『原色日本の美術〈第二三巻〉彫刻』（小学館、一九七九年）などを刊行している。

こうした経歴からみえる三木さんは、たしかに公的な場に身を置いた美術館人と映るけれども、お上の人というより、いたって在野風のタイプであった。数多くの作家の個展（仕事の現場）をみてまわる人でもあって、空言を嫌い、実証的な姿勢を崩さなかった。公募展（主に現代彫刻）の審査会でも私はごいっしょする機会がよくあった。が、私意をとおすことよりも状況を的確にとらえて発言し、上手に調整役に徹していたのをおぼえている。

いつも微笑を湛えて缶入りのピースを吸い、酒席ではオンザロックの濃いウィスキーを口にされていた。わたしは独言を吐いたりして乱れた姿に接したことがない。いかにも職人肌の父（木彫家・三木宗策）をもった人らしく、話しぶりも訥々としていた。

――「美連協ニュース」一三九号（二〇一八年八月）

＊

比較的長いおつきあいだったので、いろんな思い出がある。そのうちの一つ。

彫刻家・堀内正和氏が「坐忘録」と題して『美術手帖』に二年（一九七二―七三年）ほどエッセイを書いていた。その一篇に「お」をつける日本語の可笑しさを指摘した一文があった。その締めくくりの箇所で「名前におをつけると可笑しくなる人間もいた」として、

「『現代の眼』で『視る』などと言いながらお三木多聞は酔眼で見る、と。〈註＝御神酒はオミキと訓む〉。／おふざけついでにもう一句、駄句蛇足。／近美こそ／正義のミカタ／本間かいな」。

一九七〇年前後の美術界の空気を吸った人たちには、これはピンとくる駄洒落だが、最後の一句は当時の次長だった本間正義氏をアジったもので三木さんの上司であり、「現代の眼」（東京国立近代美術館）と「視る」（京都国立近代美術館）は両館の機関紙である。

三木さんに「酔眼」をかさねているのはともかく、「おふざけ」彫刻に遊んでいる巨匠と妙にウマが合って、二人が呵々大笑していた姿や、この二人に柳生不二雄氏、江口週氏、渡辺豊重氏などが加わって（当然、酒宴になり）、ぐちゃぐちゃと妖しげな話をくりひろげていた光景をもおぼえている。

＊

一九八〇年代半ばから九〇年代半ばころまで、とにかく「彫刻まちづくり」に関連したさまざまなイヴェントがあった。大型の彫刻コンクールもその一つ。

半年ほどの時差で二つのコンクールが開催され、たまたま三木さんとわたしも選考委員で両方の審査に関与していたときであった。

「似た模型がいくつもあったね」といって、二人で（内々に）チェックしたことがあった。前のコンクールで落選した模型に少々手を加えたていどのものがまじっていたからである。

＊

ずいぶん前にルーブル美術館（オーデュトリウム）で日本の美術館をとりあげたシンポジウム（総合司会＝高階秀爾）があって、三木さん（当時、国立国際美術館長）とわたしも招待されたことがあった。一通り役目を終えたあと、たまたま宿泊していたホテルの近くで、どこかの国の大使館がテロに狙われているというので二日ばかり外出に神経をつかったことがあった。そんな折の一刻に旧知の南條彰宏氏（アート・ヨミウリ社長）が、三木さんとロビーで懇談していたのを目にしたことがあった。

書肆山田から詩集『黒い低い森の物語』を出し、季刊誌「るしおる」にマラルメについてのエッセイを連載していた南條さんである。数か国語をあやつる外国語の達人であるとか、展覧会の仕立屋であるとか、とにかくちょっと伝説的な人であった。わたしは師匠の土方定一を介して知り合い、個人的にもパリではいろいろとお世話になった。

そんな人と三木さんが向かい合っていたので、あとで三木さんに訊くと、南條さんは「木村忠太展」の相談にこられたのだという。

三木さんはパリやニューヨーク（そしてサンパウロ）に居をかまえている日本人作家の名を挙げて、それぞれの作家との出会いを語ってくれた。なかにはわたしのよく知った人もいたが、三木さんは彼らの思いの一端を聴き遂げてあげたい、そういった気持ちをこめて、「海外で苦労している作家たちと、当地で一献を傾けるのは堪らないねエ――」といった。わたしにも共感できるものがあった。

木村重信氏の手紙

ことしの一月三〇日、木村重信氏（一九二五―二〇一七）が九一歳で亡くなった。

ここしばらく、お会いする機会がなかったけれども、木村さんはなかなか存在感のある個性的な人で、頭の回転がはやく、歯切れのいい声で選考会などの席でよくしゃべっていたのをおぼえている。あたりを気遣うというのか、相手の応答を待ちきれないというのか、とにかく、せわしい性質の人であったのを懐かしく思い出す。わたしの記憶は前後するかもしれないが、そうした木村さんに遭遇することになった光景のいくつかをひろってみる。

まず思い出すのは、宇部ビエンナーレの審査のときであった。木村さんが選考委員に加わったのは、ビエンナーレがはじまってだいぶ経ってからのことであるが（たしか一九九九年の第一八回）、その頃の選考委員は、何と十数名もいて賑やかなものであった。ところが、それまでの呑気な審査にしびれを切らした木村さんは、傍にいた中原佑介氏に「ユウスケさん、あなたが進行役を替わってやりなさいよ」と告げて、ロビーに立ったのである。禁煙パイプをくわえていたが、いたたまれないというようすであった。

また神戸ビエンナーレの審査のときにも先輩の選考委員を遠まわしにヤジって、「棺桶に足を突っ込んだ人たちだからね――」とわたしに耳打ちをしたりした。

みずから仕切った大阪トリエンナーレではもっとおどろかされた。国際規模のコンクールで評判になり、その何回目かの一次審査のときであった。富山秀男氏とわたしがよばれて選考に加わった（その回は版画が対象）。

応募作品は六千点を超えていた。

当時はスライドでの審査であったが、半日で済したいとの木村さんの要望である。ガチャン、ガチャンとプロジェクターのリズムにしたがって、一、二秒で判定しなければならない。富山さんもわたしも途中でわけがわからなくなって、木村さんに促されるようにしてすすめたのをおぼえている。

せわしい性質の人——と形容したけれども、しかし木村さんが独断的な人であったといっているのではない。そう映るところもなかったわけではないが、それは「せっかち（生来の性質）」というほどの意味で木村さんを狭くとらえた印象だ。

長年、先史美術や民族芸術の現地調査（フィールドワーク）で培った豊富な経験と見識の広さが、現代美術のごく限られた窮屈な論理を、いわば一飲みにしてしまうような一面があった。そのあたりの微妙さをよく知っている人と、そうでない人とでは、木村さんの印象はまるでちがったものとなっていたように思う。

＊

木村さんの仕事の全貌を知ろうとすれば、『木村重信著作集』全八巻（思文閣出版）にあたらなくてはならない。しかし、これはあまりにも厖大で、とてもわたしの任ではない。そこで（しかたがないけれども）、著作集の第七巻に収められた「美術評論」を手がかりに話をすすめよう。

この巻の「解説」は建畠晢氏である。木村重信氏の評論を「強固な理論的枠組みに依拠しているのだが、にもかかわらず常に生身のアーティストの姿が身近に観察されている」と書き、また、「様式やイズムの考察には歴史的なパースペクティブが的確に踏まえられ、美学的な分析も随所に鋭く挿入されているのだが、それは単なる机上の論議に終わるものではない」と要約している。これはすなわち、木村重信という「行動する芸術学者」の広範な領域におよぶ学究的姿勢に関連することだが、さらにこうも書いている。

「とりわけ生彩に満ちているのは、戦後美術を領導してきた関西のアーティストたちの群像である——」と。

現代美術の「現場」で美術を論じる評論家としての、木村さんの立ち位置について明言していると解してさしつかえないが、その立ち位置について、木村さん自身は「第一回大阪トリエンナーレ一九九〇《絵画》」（「日本経済新聞」一九九一・一・二八）という一文のなかでこんなふうに書いている。

「自動車、電機機器、コンピューターをはじめ、日本商品の輸出超過が世界中で問題になっているとき、美術や音楽だけが輸入オンリーであるのは不思議である。そのような状況を打開するためには、まずわが国に現代美術の評価機構をつくることである。このコンクールの最大の目的は、大阪を現代美術の発信基地にすることであり、本展は版画、来年は彫刻を対象にすることになっている。」

これは、さまざまな木村さんの思いを込めたプロジェクトの一つに過ぎないけれども、「大阪を現代美術の発信基地にする」というのは、自身の生き方の根もとについて語っていると同時に、何事にも先陣を切るということをモットーにした人の批評精神と解してもいい。

つまりジャーナリズムのセンターが、東京一極に集中してしまっていることに対する批判であり、抵抗なのだが、それだけではない。いまここに「発信基地」をつくろうとしている自分に、賛同とまではいわないが、せめて意向を汲んでくれよ——という訴えとなっていて、すでに木村さんは、つべこべいわないでみずからが実践していることを暗にほのめかしているのである。

＊

頻繁にお会いするという関係ではなかったけれども、拙著をおくるとかならず読後の感想をしたためた丁寧な手紙を受け取った。また自著を一緒に送ってくれることもあった。わたしが「現代彫刻の世界」シリーズの四冊目の『彫刻の枠』（小沢書店、一九九七年）を進呈したときあたりが、おつきあいの頻度をちょっとましたころであったが、木村さんは拙著を手にしたその日に書いたのではないかと思われる手紙がある。

明日からノルウェー、スウェーデンの「先史岩面刻画遺跡」の探査の旅に出るので帰国してから熟読させていただきます――となっている。海外への旅行をひかえて慌ただしくしているなかでのその手紙には、以前に書いたわたしの「環境造形Q」についてのエッセイのことなどにもふれているという具合なのである。

わたしの手もとに十数通の木村さんからの手紙がある。そのうち二通の差し障りのないところをここに紹介しておく。

「桜の季節になりました。先日、東博での外部評価委員会のとき、上野公園はすでに三分咲きでしたが、関西はいま蕾がふくらみ始めたところです。

貴著『その年もまた』を御恵送下され、ありがとうございました。早速、読み始めましたが、私の知人も多く登場して、いささか感情を移入しながら拝読しました。

貴兄が八代修次門下であることを初めて知りました。彼とはフランス留学の際、日本館で一緒で、美術史専攻は高階君を入れて、三人だけでした。八代君も私も食事が早く、フランス人に笑われました。〈早食い、酔っぱらい〉は紳士の失格条件の第一ですから。また彼は天邪鬼的なところがあって、地方美術館を訪ねては、私がまだいっていないことをなじりました。それでいて、カタログを二冊買ってきて、一冊を私にくれるのでした。小山冨士夫さんとは京都でよく飲みました。〈豪快な飲みっぷり〉で、いつもポケットに自作のぐい呑みを入れていて、意気投合すると、〈これやるよ〉。だから幾つかのぐい呑みを所持しています。

貴兄が計画して下さった堀内正和展がいま京都でおこなわれています。それを機に、京芸大彫刻科の同窓会がおこなわれ、海外に居住する卒業生も集まり、私のところへも次々に来ます。辻晉堂・堀内正和のコンビを、私はピカソ・ブラックのそれに類比しています。」

——（以下略）

このあと別便でH・W・ジャンソン+アンソニー・F・ジャンソン著『西洋美術の歴史』木村重信+藤田治彦訳（創元社）を送る——とあり、日付は二〇〇四年三月二五日となっている。

これは、わたしが神奈川県立近代美術館を退職するにあたって上梓した『その年もまた—鎌倉近代美術館をめぐる人々』（かまくら春秋社、二〇〇四年）をおくった返礼である。一読、わたしは木村さんの八代さんや小山さんとの、ほのぼのとしたまじわりを知って、何となく充たされるものを感じた。

木村さんの手紙は、コクヨの原稿用紙（二百字づめ）を模した自製の原稿用紙に、ボールペンで、きれいな読みやすい字で書いていて、封筒もまた自製のものをつかっている。

もう一通は『早世の天才画家』（中公新書、二〇〇九年）をおくった返礼である。時候のあいさつのあと「早速、拾いよみさせていただきました」と書き、つづいて拙著の「あとがき」の一節を引いてこんなふうに展開する。

「——「画家たちの生涯や作品のこまかいところにかかわる作業」と、それらから「距離をとって見通しのいい眺め（概観）を用意する作業との両面」を考えたとあります。これは民族学の用語を借りればイーミックとエティックになります。（これは言語学の音韻論で用いられるPhoneticとphonemicを普遍化するため、それらからphoneを除き、文化現象に適応したものです。すなわち、イーミックは個別文化を内側から研究する方法であり、エティックは一般的概念を用いて、当該文化を外側から考察することです）。そのような貴兄の態度が、〈文学との縁を断ちがたくもち続けてきたわが身の……性向〉（八〇頁）と相まって、実に美しい文体の深い考察となっています。」

——（以下略）

このあとわたしが紹介した画家や文学者について、一々その感想を頁数まで附してしたためている。「まえがき」にわたしがふれた早世の画家たちの「人生と芸術」のところを指して、「これはかつて高見順が『描写のうしろで寝ていられない』で書いていたように、古くからのテーマです」——とあったので、やはり木村庄助の弟だなと思って、わたしは書架を探すことになったのである。

わたしが木村さんの兄上にあたる、この木村庄助という人を知ったのは、木村重信編『木村庄助日誌—太宰治『パンドラの匣』の底本』（編集工房ノア、二〇〇五年）を頂戴し、「木村庄助は私の実兄で、小説家を志しつつ、昭和一八年に二二歳で死亡しました。本書は、生駒山腹の孔舎衙健康道場における結核の療養日誌で、この日誌をもとにして、太宰治の『パンドラの匣』が書かれました」という書き込みを読んだからである。

三歳ちがいの兄の遺影と、繊細な字体でぎっしりと書かれた「日誌」（口絵）をながめて、わたしは早世した兄への尽きることなき木村さんの思慕を想像した。また「日誌」をめぐる不思議な顛末にも興味をいだいたが、話が逸れてしまうのでここでは止すけれども、木村さんの心のどこかに文学（小説）への断ち切り難い思いといったものがあったのではないかと想像した。

＊

せんだって木村さんの教え子の一人で旧知の中塚宏行氏に、わたしが木村さんについての何か適当な資料（新聞や雑誌など）を教えてほしいと頼んだところ、晩年の新聞記事などをコピーしておくってくれた。それらで木村さんの（ある意味で）波瀾に富んだ生涯の輪郭を、だいたいつかむことができた。

「老いに学ぶ」欄（『毎日新聞』二〇一三年三月二一日）によると、実家が古い宇治茶問屋だったので名古屋高等商業に入り、一九歳で徴兵され、転々としたあと予備士官学校の編成で運よく助かったというが、戦後は実利的な学問から遠ければ遠いほどいいという理由で京都大学文学部（美学・美術史）に進んでいる。

ソルボンヌ大学民族研究所に留学するのは、一九五六年のことであるが、その後、先史・古代美術の研究と並行して、現代美術の現場にも立ち、同時代的な切れ味のいい文章を書きつづけて、間もなく米寿を迎える——というのである。

文字通り、八面六臂の活躍といってもいい。記者にはこう語っている。

「老いを感じることはほとんどありません。死は絶えず意識しています。肋膜炎で小学校は三年しか行っていませんし、戦争を生き延びた後も、アフリカや中近東などでのフィールドワークでは、死と紙一重を重ねてきたからです。でも、命びろいの人生だったので、かえってめったなことでは死ぬ気がしない」と。

「プロの本棚」欄（『毎日新聞』二〇一四年二月七日）にも、なるほどなあ、と思わせる勤勉な木村さんが描かれている。記者はまず木村さんを「記録する人」と称し、世界各地で行ってきたフィールドワークを数多くの書物（あるいは撮影記録）にまとめ、一方で小学生のころから書きつづけている日記があり、そして書斎のほかに書庫が三部屋もあって、足の踏み場もなくなったので、兵庫県立美術館に約二万冊の蔵書を寄贈した——と。ところが、兄庄助が熱烈なファンだった太宰治の初期作品の初版本などは、「思い入れ」があって残したという。

大胆さと細心さを併せもつこの人はまた「有言実行の人」でもあった。建畠氏はこう書いている。

「大阪トリエンナーレを組織し、館長としては国立国際美術館の都心への移転を実現させ、壮大な兵庫県立美術館を開館させるなど、世界の耳目を集める美術のインフラを、関西の地で、あれよという間に現実のものとして行ったのである」と。

わたしはずいぶん前に、木村さんから大阪へ仕事の場を移して、自分を援けてくれないか――という要請を受けたことがあった。熱心な勧誘で、大阪で二度ほど食事をともにした。それは自分が兵庫県立美術館へ転出するので後任として国立国際美術館をたのむよ――という話であった。

ところがわたしが木村さんの思いに添うことができなくて、この話は二人の胸のうちに仕舞い込んだかたちとなった。が、その後も何かと声をかけてくれてかかわりはつづいた。そのつどわたしは情に厚い人だという印象をつよくし、また気分のひろい人だと思った。

――「美術ペン」一五一号(二〇一七年春)

宮川寅雄―励ましの言葉

著者から贈られた『歳月の碑』(中央公論美術出版、一九八四年)を読了した印象を記せば、この本は宮川寅雄氏(一九〇八―一九八四)の人生における詩的出会いの片影――ということばに要約されるのではないだろうか。

もとより、これは内容の隅々にまでわたって閲《けみ》したうえでの印象ではない。人との出会いの、最初の印象にも似て、相対する人間の内部の気象が、心の深部を突いてくる、といったような出会いの刺戟を前提とする。ある種の個性をみるといいかえてもよい。人格の芯にある倫理を直感する場合もあるかもしれない。

しかし、である。人と人との出会いが彩る光景には、それにふさわしい応対があるはずである。相互に触発されるところがなければ、舗道ですれちがうただの人であって、心にながくその影をとどめることはないからである。

正確に数えてはいないから本書にどれだけの人たちが登場するのか知らない。が、宮川さんは人と人との交通の、その豊かさにきわめてめぐまれていたのではないかという気がする。著者の師匠のひとりでもあった会津八一とその縁辺に関しては、これまでにも多くの著書があり、わたしも愛読しつつ、人間の歴史は素手でさわって、その感触を詩の契機とするのなら、その詩的想像力はまた客観的な学問を保証するものでなければならない――という厳然たるところのあるのをしばしば感じてきた。人間の歴史といっても、それは過去への解釈ではないからである。

本書はしかし、著者のこれまでの、どちらかといえば(こんないいかたは妥当でないかもしれないが)、楷書の仕事というより行書にちかい性格のものである。演説調をいつの場合もきらう著者は、後学の徒でもあるわたしたちの世代の人間に、あたかも座を接して、自らの経験を真摯なことばでつたえようとしているところがある。詩と文学、芸術と歴史、思想と行動、教育と啓蒙、学問と趣味——等々、それぞれ人との出会いの場で記録した事実をのべている。

＊

『歳月の碑』とはまた、歴史の片隅で師友・知己との出会いの場を回想するにふさわしい、いかにも洒落たタイトルである。

畏敬の念をもって見守っていたという坪内逍遥、芥川龍之介、永井荷風の姿、詩人高村光太郎、金子光晴、逸見猶吉、中野重治との出会いと交友、あるいは羽仁五郎、服部之総、北山茂夫などの歴史家、そのほか土方定一、小山冨士夫、安藤更生、中島健蔵など、著者の眼に映じた回想のなかの人々はそれぞれ滋味深くかたられている。「獄の点鬼簿」「私の中の『明治』について」は、著者自身の心の陰影を色濃くとどめ、「木下杢太郎四則」「光太郎の山居」は、畏敬する故人の「転機」にふれて、現代へのひとつの「警告」となっている。

いわば一巻の絵巻物でもみるように、さまざまな著者の出会いの光景が描かれている。最初の一篇に「若き詩人たちの像」とあって、幾人かのアナーキスト詩人たちが姿をみせる。青春時代の詩や文学との因縁が、その後、著者の心層に深く鎮《しず》んで、美術や歴史をとらえる思想の根幹となっていくことを予感させる。人と人との交通を描いて、自らの半生を記した爽やかな自叙伝ともなっている。

＊

この一文は『週刊読書人』（一九八四年八月一三日）に寄せたものである。その数ヶ月後の暮も押し迫った頃、わたしは宮川さんの訃報に接した。

顧みれば宮川さんのことを気にするようになったのは、随分、以前のことである。土方定一館長の発案で『神奈川県美術風土記』の一冊目（幕末明治初期篇）を一九七〇年に出したときに、確か雑誌『三彩』（一九七〇年四月号）だったと思うが、宮川さんが書評欄にこの本のことを書き、そのなかでわたしを勇気づけてくれるような一言をはさんでくれたのがはじまり。それから何やかやと遠くから応援していてくれたのではないかと思う。

わたしが近代美術史研究の、謂わば〈所信〉のようなものを書いた「辺境の近代美術」（『季刊藝術』一九七五年夏号）を収録した『野の扉』（小沢書店、一九八〇年）を出したときに、墨書の葉書を頂戴して恐縮したことがある。どこかの古本屋で求め、この「辺境の近代美術」を読んだのだという。「いいものを讀んでいい氣分で一寸御挨拶まで」というようなことが書かれていた。献本しなかったことを大いに悔いたのはいうまでもない。

数年後のある夜のことである。宮川さんから電話があった。

それは和光大学で教えるという話だった。いきさつは宮川さんに土方先生がまだ元気な頃に、大学で〈美学入門〉を講義するという約束をしていたというのである。しかし、亡くなったので（一九八〇年一二月）代わりに来てくれ、というようなことだった。

わたしも土方先生から機会をみて実現したいという話は聞かされていたから想像できたのだが、とても代役は適わない。そんなわけで博物館学の一コマだったと覚えているが、一九八二、八三年度の二年間、毎週月曜日に出かけて情けない授業をするところとなった。後にも先にも年間通して非常勤講師をしたのは、このときだけである。

それにしても土方先生の〈美学入門〉をテープにとって、新書版の本にする計画が実現しなかったのは惜しい。

宮川さんとは親しくお話する機会には恵まれなかったが、わたしのほうに尋ねる勇気がなかったからだ。宮川さんは一九八四年一二月二五日に亡くなった。奇しくもそれは土方先生の四年前の誕生日にかさなっていた。

――『その年もまた』（かまくら春秋社、二〇〇四年）収録

＊

記憶の確認というほどのことではないが、『歳月の碑』のなかの「思い出の土方定一」を再読してみた。土方先生が大学で〈美学入門〉を教える――という話を、いつ、どこで宮川さんと約束されたのかが気になったからである。

「土方定一は、私に、ある時、群馬の井上房一郎氏を紹介した。それが縁で、井上山荘に保養していた土方定一を訪い、一夜、接待をうけた。私は東京から車で、山荘へ出かけた。／土方は息子さんを伴っていたが、夜は二人で、のんびりと、飲みながら語りあかした。その時かれは、ヒエロニムス・ボッスの論文を書き終ったら、和光大学で講義させろ、無給でやるよ、と言った。無給でなくとも、私は賛成した。その折、かれは気弱そうに、身辺の苦悩なども語ったりした。」

わたしは美術館に宮川さんが訪ねてこられた折のことくらいに記憶していたのだが、事実はそうでなく、二人が、肝胆相照らす時間をもったときのことだったようである。

＊

いまとなっては大学での授業に、わたしも少々慣れたせいか、それほど苦痛には感じられなくなったが、和光大学でのときは、まったく要領を得なかった。学生には気の毒なことをしたと思っている。幕末維新史に凝っていたときで、いささか硬めの教材（佐久間象山の獄中録）をつかったのだが（わたしの未熟のせいで）、出

席する学生が激減してしまった。宮川さんは心配そうに遠くから気をまわしてくれたが、何やかやとこころを配ってくれたのは田井淳夫氏だった。

大学で授業をもつ五、六年前のことだが、田井氏が自身の論考(「岩村透・近代史の一つの展望」)を収録した『和光大学文学部紀要二』(一九六七年)を、先輩学芸員の佐々木静一氏のところへ届けにこられたことがあった。ついでに私も頂戴したのだが、田井氏を知ったのはそのときであった。

これは宮川さんに啓発された田井さんの試論のようなものだったのだろうが、やがて宮川さんは、岩村透著『芸苑雑稿・他』(東洋文庫、平凡社)の「解説」を書き、この方面の研究に先鞭をつけることになった。この「解説」は充実した内容となっていて、わたしは「美術批評家・岩村透」(『覚書幕末・明治の美術』岩波現代文庫)を書くときにまっさきに参照したのをおぼえている。

こうした縁もあって、わたしのところへも『宮川寅雄著作目録』(一九八五年)が贈られた。宮川さんの喜寿を祝って生前に編まれたものだったが、当人が急逝されたので歿後の刊行となっている。そのなかに絶筆となった宮川さんの「自分のこと」の他、教員有志のエッセイや針生一郎氏の「宮川寅雄論序説」などが収録されている。

宮川さんが『秋艸道人随聞』のなかに敬愛をこめて書いてあった新潟市會津八一記念館をはじめて訪ねたのは一九八三年で、わたしはそのときの印象記を拙著『遠い太鼓』(小沢書店、一九九〇年)に収録した。が、昨年まで再訪の機会があったけれどもすでに記念館の場所はかわっていた。しかし、わたしのなかに佇む会津八一は、以前と同じく宮川寅雄という人を介してのそれであるのをあらためて知った。

両人の和歌への嗜みは、わたしの神経には触れない。その方面への関心については疾《と》うに諦めているからであろう。しかし書画への嗜みについては、まだ間に合いそうな気がしているのだが、さて——。

針生一郎氏を悼む

針生一郎氏（一九二五—二〇一〇）に最後にお会いしたのは、たまたま、ある記念パーティー（岡山県立美術館の「悠久への回帰—高橋秀」展）で同席したときですから、この三月はじめのことです。

とてもお元気そうでした。ちょっと背をかがめた針生氏が、いつもの「わかば」を燻らせ、愛くるしい目であたりをながめながら独り微笑んでいた姿を思い出します。

多くのひとが祝辞をのべましたが、針生氏の祝辞だけは、ちょっと変わっていました。壇上に立つなり、ポケットに手を入れて、どことなく落ち着かないようすで（視聴者との距離をはかっていたのかもしれないが）、まず岡山県立大学で教鞭をとったことから話し出し、画家との縁にもふれて知られざるエピソードを披露したりして大いに笑いをさそっていました。

ところが、だんだんに「針生節」になって怪しくなってきたのです。これまでにも、わたしはときどき場を無視した時勢批判のまじる「針生節」の演説に立ち会ってきたので、こまったことになったなと心配になりましたが、この夜の宴においては、それなりに辛口で長広舌であったけれども、大きく脱線しないでことは済みました。

針生氏は響く声でテンポのいい話しかたをする。まあどちらかというと話し上手の人。興に乗って話を聞いていると、針生氏はこんなことをいった。「最近、ぼくはしゃべくりの針生」といわれている、だから、全国どこにでも「お呼びがかかれば、足をはこぶ」と。

そのわけは、こうなのだという。

つまり、八〇歳をこえると、もう原稿を書けないからだ（書かないではなく）——と。わたしだけでなく同席の物書き族は、エッと思い、たがいの顔を見合わせました。

この「八〇歳をこえると」という年齢はともかく（個人差もあるから）、「原稿を書けない」といった針生氏の告白にちかい言い方に、わたしはある真実の声を聞いたように思いました。

そうか、自身のなかの変化に気づいて「表現」のスタイルを変えたのかなと、わたしは一瞬考えたが、そんな簡単なかかわりではない。風化させてはいけない問題についての執拗な思索の運動が、針生一郎という批評家を、いわば「直言」の人にしていったのであって、それは同時に自身をたえず突き動かしていた批判精神と堅くむすびついていたのだと思います。一々の言動もまた、時代を変える地殻の変動に繋がるだろうという意味では、ある種の理想を遠くに眺めた批評家と解していい。

針生氏から贈られたヴィーラント・ヘルツフェルトの訳書『ジョン・ハートフィールド』（水声社、二〇〇五年）を書架から取り出してきたところである。

——『針生一郎と調布画廊』（二〇一一年六月）

＊

これは針生一郎氏の最晩年に、わたしが垣間見た氏の片影である。

あらためてふりかえってみると、氏とは共通の知己や友人が多くいた。それも美術の領域だけではない。氏が積極的にかかわった文学や社会活動の領域の人たちとの接触もいくつかあった。わたしのようなノンポリが、どうして、そんな人たちとの接触をもつのか、氏は、いささか疑問に思われていたのではないかと想像する。

それでもある日（一九九〇年代の始めごろかな）、美術館にやってきて「和光大学を専任に、こちらを非常勤にできないかな」というような話をもってきてくれたり、砂澤ビッキの作品集を出すので原稿を依頼されたりした。

そうかと思うと、こんどは山下菊二展（鎌倉）のときに、散々、小言をいい、「その方面に凄まれたら相談に乗る」などというから「作品の選択は、そうならないように配慮した」と返事したのをおぼえている。また、ある美術館への抗議声明文に署名を求めてきたこともあった。立場上、断わったけれども、とにかく、針生氏は忙しい人であった――とわたしの目には映っている。

戦後の激動期から自身が直面した社会的矛盾や齟齬に、氏は一々批判の矢を射るところに美術批評の家を建てようとしてきたわけだから、いろんな方面に関心が拡散していたのは当然だったのであろう。

そうした氏の全貌に近い姿をとらえる機会があった。「アヴァンギャルドを見つめつづけた反骨の評論家の足跡」という副題をもつ「わが愛憎の画家たち――針生一郎と戦後美術」展（宮城県美術館、二〇一五・一・三〇―三・二二）である。

たまたま山形に用があって、バスで仙台に入った。展覧会担当者（三上満良副館長）と会場をめぐって見覚えのある作品につぎつぎと出会った。わたしは針生氏の著書『戦後美術盛衰史』（東京書籍、一九七九年）と『わが愛憎の画家たち』（平凡社、一九八三年）を、そこに重ねた。展示は第一章から第一二章までと、終章が「資料室」となっていた。そこには数多くの編著訳書、共著などが紹介されていた。親交のあった粟津潔氏が、針生氏の生家の商標をデザインしたロゴ版下や、自筆年譜の原稿などがあった。そして闘病中の夫人への「挽歌」を記した「短歌手帖」に、針生氏の知られざる一面を覗いた気がした。

東野芳明──「ぼくらの問い」に応えて

1　追悼

ながく病の淵にあった美術評論家・東野芳明氏（一九三〇―二〇〇五）が、一一月一九日正午に七五歳の生涯を閉じた。訃の報に接して、とうとう亡くなったのかという思いと、無念のうちに過したであろう氏の晩年を想像して、わたしのこころは痛んだ。

元気な頃の東野氏は、下町風の歯切れのよい言い回しの洒落《しゃれ》を連発し、いつお会いしてもじつに愉《たの》しい人だった。しかし、そうした世間の目の遠近法ではとらえがたい、人間の意識の暗部のほうに、むしろ、この人の批評の立脚点があったのではないか、というのが、振り返ってみたわたしの感想である。

第一回美術評論の懸賞論文（美術出版社、一九五四年）で、東大在学中に書いた「パウル・クレー」論の当選をきっかけに、批評の道に入るのであるが、最初の評論集（『グロッタの画家』五七年）に収録された諸篇（ボッシュ、グリュネバルト、伎楽面、地獄草子など）には、どこか奇態なものにひかれる東野氏の性向が潜んでいる。裏を返せば、一切の教条主義をきらった人の立つ、それは入り口だったのかもしれない。

＊

戦後日本の美術界において、色めき立つできごとといえば、アンフォルメル美術が紹介された「世界・今日の美術」展（五七年）が挙げられる。いわゆる「アンフォルメル旋風」を引き起こし、絵画の自立性を強調したこの動向は、戦後美術の出発点ともなったが、東野氏はこの動向の渦中に身を置いた批評家の一人であった。

こうして東野氏の批評活動は、五〇年代末から始まることになるが、日本の現代美術が、国際的な視野でながめられる時代の到来ということになると、七〇年代をまたなければならなかった。変貌いちじるしい現代美術の領域で健筆をふるった、この人の批評は、ジャクソン・ポロック以後のアメリカ現代美術との出会いをもとにした論評が主軸となっている。なかでも知られているのは、ポップ・アートの紹介者としての一面であり、他方では美術という形式を破壊・無視しようとした一群の作家の作品を「反芸術」と称して、論争の火種をまいたことでも知られている。

これらは美術の「前衛」を視野に入れた論評の必然であるが、氏の批評の傾向は（どちらかといえば）、社会的な発言よりは、個々の作家の創造的世界に触れたものが多かったように思う。見方をかえると、一種、独特の「語り」を駆使する作家論の名手であったといえるが、氏の「現代美術―ポロック以後」（六五年）や『ロビンソン夫人と現代美術』（八六年）、あるいは二〇世紀後半の世界の現代美術におけるスーパースターたちの揃《そろ》い踏みともとれる対談集『つくり手たちとの時間』（八四年）などは、わたしにも再読三読の記憶がある。

しかし、特筆していいのは、やはり、マルセル・デュシャンについての論考（とくに『マルセル・デュシャン「遺作論」以後』九〇年）ではないであろうか。デュシャンという底知れない創意の森に踏み込んで、作家の言葉を原義に還すこころみのなかで、東野氏は批評の言語の新しい力を養ったのだと思う。デュシャン解釈の未知の地平をこじ開けながら、デュシャン個人にかかわるだけではなく、現代の多くのほかの作家の作品ともつながろうとしていた東野氏であった。

――「毎日新聞」（二〇〇五年一一月二五日）

2　ポロック以後、ティンゲリーのこと

ちょうど一世代上の東野芳明氏とは、妙にウマがあったというか、一時期、氏が国際美術評論家連盟の会長(日本支部)だったときに、その事務局を任されたことがあった。気配りの人で、威張ることもなく、また堅いことを言う人でもなかった。だから気さくな友人としての付き合いであった。

亡くなられてから書店で東野氏の本を探したことがあった。一冊もない。店員に問い合わせてもすべて入手不可能という返事だった。わたしは思った。どこか気の利いた出版社が氏の著書を新書でも文庫でもいいので復刊してほしい——と。そういう思いを殊更にしたのが、ほかでもなく『現代美術—ポロック以後』(一九六五年刊行)である。

副題に「ポロック以後」とあるように、まず床に置かれた画布に絵具をぶちまけるように描く「アクション・ペインティング」で知られたポロック論が最初にあり、この伝説に彩られたアメリカ現代美術の先導者が、四四歳の若い命を絶った自動車事故による死の報(一九五六年八月)に、著者が接したところからはじまる。以下、一五人の作家論が入っている。

創造の秘密に触れるそれぞれの論考は、いまとなってはこの著者をおいてほかには書き得ない作家との直接の対話や交遊のなかでのドキュメントとなっている。六一年から二年半あまり『みづゑ』誌上(「現代美術の焦点」と題して)に連載されたものを骨子にしている。いずれも創造的、革新的な作家たちの制作行為に触れ、共感し、個々の作家の外見のようすとは一味違う、意識の暗部にもひかりをあてている。

東野氏は「美術批評」が、心理学や民族学などほかの領域での研究成果をとりいれて、戦後に大きく変わっていく、その先鞭をつけた批評家の一人である。晩年の論考『マルセル・デュシャン「遺作論」以後』(美術出

版社、一九九〇年）などは、その最たるもので、ピカソとともに二〇世紀美術の変革の巨星となったデュシャンの底知れない創意の森に踏み込む労作としても忘れられない。本書でも戦前の芸術家とみられておかしくないこのデュシャンを取り上げ、その理由として、彼の「問いの精神」が、いま、はじめて「ぼくらの問い」となったからだと書いている。

変貌の著しい現代美術の渦中にあって、氏の批評は数々の問題提起によって話題をまいた。なかでも知られているのはポップ・アートの紹介者であり、また「反芸術」の提唱者と称されたこともあったが、どちらかというと氏の批評は、現象一般より作家論に持味があった。それだけ「作り手」につよい興味を抱いていたということであろう。

廃物彫刻（動く彫刻）で知られるティンゲリーと一緒に、デュシャンのニューヨークのアパートを訪ねたときの話などは、まるでチャップリンの映画をみているような可笑しさである。現代美術というのは、やっぱり面白いんだよ、そんなに鹿爪らしい表情をしなくていいのだといわれているようである。

そのティンゲリーが九一年に来日したことがあった。東野氏は紹介したいからといって、わたしと一緒に京橋の南天子画廊へ急行したことがあった。しかし、数分違いで彼は立ち去っていた。ティンゲリーが亡くなったと聞いたのは、その数ヵ月後のことである。

3　バックミンスター・フラーと共に

もう随分前のことだが、いちどだけバックミンスター・フラーに会ったことがある。会ったといっても、あの独特の話術だけが耳にこびりついていて、内容の方はまったくのチンプンカンプンの講演会のときであった。

ライフル銃のようなスピードでガンガンまくし立てるその姿は、とても齢八十を超した老人とは思えなかった。

その日は青山界隈で何かあって美術評論家の東野芳明氏とお会いした。すると氏はいま「バッキー」（フラーの愛称）が、ギャルリー・ワタリにきているから一緒に行こうというのである。わたしはついていった。

――ところが、である。たしかにフラーの講演をきいたし、講演の途中から東野さんが通訳をかって出たのまで覚えているのだが、その先がまったくあいまいなのだ。終わってからどこかに一緒に行ったような気もする。でも、はっきりしない。霞のかかった記憶というのは面白いもので、自分のなかでかってに増殖する。フラー著『宇宙船「地球号」操縦マニュアル』（東野芳明訳、西北社、一九八五年）の「訳者あとがき」によると、ことの次第はこんなふうに記されているのである。

「バッキーに最後にあったのは、一九八二年一〇月、東京のギャルリー・ワタリで版画展が開かれ、隣のオン・サンデーズで講演会が開かれたときだった。超満員の聴衆を前に、八七歳のバッキーが、相変わらず精力的情熱的な語り口で滔々としゃべりまくったのには、いつもの通り、ただただ脱帽するしかなかった。そこには、行動的な伝道者といった面影があった。翌年の夏、バッキーの突然の訃報に接して、悲しみは別として、一個人が逝ったという事実をこえて、死者の大きな思想の種が世界中に確実に根付きつつあるということに共感を覚えたのだった」と。

「伝道者」――とあるが、まったくその通りで、時代の若者が閉塞感をいだくときには、いつもフラーは顧みられる対象となる。東野さんは「大きな思想の種」といったが、専門分化から総合的視点への転換の必要性を解いたフラーの考えは、結局、地球を一つの「宇宙船」ととらえる発想にいたったのだ。

しかし、フラーの思索の経緯が解りやすいかどうかということになると、まあ、そうとうに難解だといっていい。事実、こんどの展覧会（「宇宙空間をデザインした建築家 バックミンスター・フラー展」神奈川県立近代美術館他、二〇〇一年）でも図形や模型、あるいは写真や解説などの、それこそ手引きというか「マニュアル」が用意されているから、一見、解ったような気にさせられるが、ことの相関関係を細かくたどったらおそらくわたしのような者の頭はパンクするに決まっている。フラーの凄いところというのは、すべて遠大な「ものがたり」にして、彼の思想に第三者が妙な怯えを感じさせないようにする優しさがこめられているということなのではないか。楽しい譬えもそうだ。自分も転んであちこち擦り傷なんかをつくっているような、そんな御仁であることを隠そうとしない——そんな印象をあたえるフラーには、悪戯っ子の面影すら宿している。だから八時間も延々としゃべりまくるフラーの講演でもみな我慢ができるのに違いない。

そのエネルギーも桁違いだが、あっけらかんと「私の話が長いのは、テーマがでっかいからなんで、ほんとうは、おしゃべりするのは苦手なんですが、自分にそういう義務があると思わざるをえない」といっている、その「義務」を、フラーが率先して生きた——ということが、多くの若者を打つのであろうと思う。六〇年代の「対抗文化」の時代の「教祖的存在」の一人としてのフラーが、八〇年代にもまた世紀の替わった今日にいたってもあらたな関心の的になっているというのは、それだけ魅力があるからなのだ。

嬉しい誤算で展覧会は好評だ。わたしは何年か振りで『宇宙船「地球号」操縦マニュアル』を再読した。東野さんの「訳者あとがき」にはまた、フラーが「詩」の客員教授で招かれた話が紹介されている。そういうことってあってていいし、フラーを「詩人」にした大学というのも洒落ているなとわたしは思った。

——「美術ペン」一〇四号（二〇〇一・夏）

瀬木慎一――「美術社会学」と称して

瀬木慎一氏（一九三一―二〇一一）が、この三月一五日に亡くなった。

わたしの印象はあとにするが、瀬木慎一といえば（誰の形容かはともかく）、いつの頃からか「美術社会学」を専門とするような見方が定着していた。一時期、「開運！なんでも鑑定団」の鑑定士でおなじみの美術評論家であったからというわけではないが、「……事件簿」と銘を打った著書もあるように、いわゆる美術の社会史な領域に身を置いた人のイメージがつよくある。それは新聞や雑誌などで（もちろんテレビも含めてだが）、何かと物議をかもす国内外の美術の領域に話題が及ぶときには、必ずといっていいほど顔を出していた。

瀬木さん本人は、例えば『真贋の世界』（新潮社、一九七七年）の「あとがき」で「元来、わたしには、平面的な美術史の叙述には興味はなく、巷間で、『社会派』と呼ばれるわたしの立場からは、このような美術史へのアプローチの仕方が、自然でふさわしかった―」と書いている。

しかし教壇の美術史と瀬木さんのそれが、いささか観点を異にしているということは、それ相応の裏づけを必要とするということでもある。だから調査や取材の努力と労苦には想像を絶するものがあったにちがいない。

昨年の夏、六〇〇ページをこえる大著『国際／日本　美術市場総覧』（藤原書店）を瀬木さんから頂戴した。美術館の現状にもメスをいれて徹底的に分析している。見通しの立たない昨今の美術館の現状を打開する策はあるか――などと考えながら読んだが、国・県・市は美術館を行政化する一方だし、企業のほうもバブルが弾けて商売にヤッキになっている。正直、美術館どころではないのだが、そんなことから礼状を書くのに、一苦労したのを思い出す。

たしか秋も終わろうとする頃だった。またまた新書『リルケと孤独の逆説』(思潮社)が届けられた。これまでの仕事と一線を画した印象のある表題なので、別人の本かと思った。が、読みはじめてみると、なるほどそうかと納得した。

要するにライナー・マリア・リルケというボヘミアン詩人の生きた時代と、その社会的背景に、一歩踏み込んでみようとした一書なのだ。これまではどちらかというと、この詩人を「聖人化」してきた傾向がある。それだからという理由ではないが、著者は「——不謹慎にも若き日にそこに足を入れてしまった私が、その後、機会あるごとに探索する誘惑を絶てないで来たその集積のささやかな束がこの一冊の本と言うことができようか」(「はじめに」)と書いている。

わたしの思い込みかもしれないが、読後の印象はいかにも瀬木さんの(独特というか)一種の社会学的なアプローチを試みた形跡を感じさせるものがあって、あちこちに自身の思いを込めたような箇所も散見される。とにかく新しい思潮がつぎつぎに芽吹きはじめた二〇世紀初頭の芸術と思想の周辺に、身をかがめるようにして生きた、この詩人の「孤独」な生涯を見定めるのは、この著者でなくとも魅力的なテーマである。しかし、亡くなられたということを踏まえて、この一書をながめると、いささか複雑な思いにも駆られる。瀬木さんには数多くの本があるけれども、人生の最後のほうにきて(もしかしたら予感していたように)、もっとも気になっていた仕事の一つが、この本の出版だったのではないかと思う。

本が出てすぐの頃に、ある展覧会のレセプションで偶然お会いした際に、わたしは「——とにかく、リルケにはびっくりしましたよ」と告げると、瀬木さんは「あれはもともと古い原稿でね」とテレ笑いされた。「あとがき」によると『近代文学（一九五四年一二月号）に掲載された「リルケの世界」であった。

このときがお会いした最後となったけれども、いささか痩《やせ》られていたのでどうかされたのかとも思った。

＊

戦後の美術批評家ということになると、今泉篤男、土方定一、瀧口修造らの第一世代のあと、針生一郎、東野芳明、中原佑介らの第二世代がつづくが、瀬木さんは世代的には、この第二世代に属していたといってもいい。ところが早熟だったというか、瀬木さんは（「1947年の夏」と書いているが）、一〇代後半の学生の頃、友人につれられて自作の詩をもって、『暗い絵』（真善美社、一九四七年）で若い読者に注目されていた野間宏を訪ね、それが縁で、その後、「夜の会」や「世紀」の会メンバー（岡本太郎、花田清輝、野間宏、安部公房、埴谷雄高、佐々木基一、関根弘などの文学者や美術家など）と知り合いになり、戦後の芸術運動の最前線のグループたちと同時代的な思考を共有するところとなっている。

そのいきさつを『アヴァンギャルド芸術』（思潮社、一九九八年）のなかに瀬木さんは詳しく書いている。批評家としてのデビューは『美術批評』（一九五三年一一月号）に発表した「絵画における人間の問題」だった。

しかし、もともと瀬木さんはとくに主義主張を闡明にする性質ではない。どちらかというと記者というか編集者タイプの人である。仕事が多方面にわたるようになったからだろうと思うが、一九七七年には、「総合美術研究所」を主宰して、そこを拠点に各種の展覧会をも盛んに企画したりしている。そういうときにはいつも自慢話となるのが「シャガール展」（一九六二年）と「ピカソ展」（一九六四年）であった。どちらも戦後に新聞社（事業部）が海外展を企画実現して、大きな盛り上がりをみせはじめた時期のことだった。だから余計に瀬木さんのパフォーマンスは派手に映ったところがあった。

あらためて瀬木慎一という人を振りかえってみると、よくもまあ、こんなに多方面の活動を精力的にこなしたものだと呆れるくらいの仕事量だったのではないだろうか。古美術のほうはともかく、浮世絵から現代美術まで、とにかく、興味と関心の領域は広く、しかもその領域を単になぞるというのではなく、一種のマニアといえるようなところにまで達していたのだからスゴイ！のである。『美術番付集成』（里文出版、二〇〇〇年）などは、その最たるもので「終戦直前から古書を漁っているうちに、さまざまな番付類が存在することにきづいて」集め始めたのだという。

これは瀬木さんの蒐集癖が嵩じた結果だといっていい。また愛弟子の林忠正とともに「ジャポニズム」の火付け役となった「美術商」の「墓と消えゆく若井兼三郎」（『朝日新聞』二〇〇〇年八月二五日）の記事などは、調べ魔がとことん突き詰めた結果として現われた真実といっていい。

はじめて瀬木さんと相対の時間をもったのは、八〇年代のはじめだったと記憶している。ある雑誌のシリーズ対談のページをもっていた瀬木さんが、わたしを客人として招いてくれたのである。そのとき話題にしたのは「岡倉天心」である。愉快な夜となった。しかし話の中身はまるっきり憶えていない。

——「美術ペン」一三四号（二〇一一年夏）

＊

このところ戦後の美術批評家があいついで鬼籍に入っている。瀬木慎一氏もそのひとり。訃の報に接して、わたしの脳裏をよぎったことはいろいろある。すでに追悼の一文を草したので、ここでは繰り返さないが、あらためて氏の仕事の領域は多種多方面にわたっていたことを思い知らされた。

大きくながめれば、それは現代美術の動向に関する批評的性格をもったもの（自身も直にかかわったイヴ・

クラインの事例などを含め）、徳川期以降の日本美術史に関するもの（新説、新発見の資料をあげて）、そして氏自身「美術社会学」と称していたように、古今東西にわたる贋作・盗難などの美術史の裏話的なアプローチをもったものなどに分別されるのではないかと思う。

「美術社会学」ということでは、昨年六月にまとめられた六〇〇ページを超える『国際／日本美術市場総観』（藤原書店）をくわえてもいい。

この大冊はバブル期の狂乱の「美術ブーム」とは、いったい何だったのだろうか——という疑問からはじまっている。かつてない複合的で国際的な現象となってあらわれる「美術経済の動向」を、副題に示したように「一九九〇—二〇〇九」年に限定して「即時的に観察し、分析し、可能な限り集約する企画をもって編纂した」と、じつにそれとなく「はじめに」に書いているけれども、しかし、こうした仕事を持続するエネルギーと意志は並みのものではなかったのではないかと想像する。

アマチュア・スカラーの伝統のない日本では、一種、学術的性格の業績については、大学や然るべき機関がになうものと決めてかかっているところがあるから、瀬木氏の仕事も（この本に限らず）個人的な範囲とレベルでことがなされているように受け取られてきたのではないかと思う。

ずいぶん前のことだが、教壇の美術史とは一味ちがって（スリリングで感興をそそられた）、「真贋」をテーマにした氏の文章が『芸術新潮』誌に連載され（『真贋の世界』新潮社、一九七七）、大いにわたしは刺激されたことがあった。

「模倣と創造」では、ヨーゼフ・ガントナーの名著『芸術における未完成』（中村二柄他訳、岩崎美術社、一九七一）を併読したが、「日本の鑑定術」では、まったく歯が立たなかった。なかで中村真一郎氏の文学的回復を記念した『頼山陽とその時代』のことが出てくるが、後年、中村氏の遺稿を加えて完成した『木村蒹葭堂』(新潮社、二〇〇〇)の上木に、何かと力添えをしたのは瀬木氏であった。いまでもときどき読み返すのは「鑑定の神様ベレンソン」のところである。

＊

こうした幅広い執筆となった瀬木氏であるから資料や蔵書の類は半端なものでないだろうと踏んだのは当然である。ご子息から相談を受けて下見した世田谷美術館の学芸員の報告で、わたしにも概略の見当はついたが、自宅の分だけでも約二五、〇〇〇冊もあって、やはり想像していたとおりの結果であった。自著・掲載誌に限っても約一、八〇〇冊をかぞえている。びっくりした。

以前に瀬木さんと木村荘八や仲田定之助が遺した(いわゆる旧蔵というかたちで)蔵書について話をしたことがあったが、単なる情報として資料をもとめるというのではなく、この人は、もっと人間の感触をそこにもとめていたことを思い出す。書架をみれば、その人の関心の在り処が知れるというけれども、たしかにそうで、松本清張記念館や司馬遼太郎記念館などは、大袈裟ないいかたをすれば、訪ねてみて、作家の頭脳のなかをひらいてみせられたような、そんな感じすら抱かせた。

いずれにせよ、これは瀬木氏の仕事の仕方や内容に付随して膨大な量の蔵書をもつことになったのだろうが、IT時代の眼からみると、ある意味で旧式の部類に入る「ものかき」に特有の要領のわるさともいえるかもしれない。

どうしてこんなことを書くのかというと(追悼文の本来ではないが)、似たような同業者もいるのではないかと思うからだ。瀬木氏の世代の批評家、あるいはその一世代前の批評家たちにしても、みな逝去のあとの蔵書や資料のあつかいに遺族は苦慮されていたのをおぼえている。

＊

戦後の美術批評家としての瀬木慎一像を描こうとして、いささか話が逸れてしまったが、戦後の芸術運動の最前線のグループたちと同時代的な思考を共有するところとなった、氏の活動のいきさつに関しては『アヴァンギャルド芸術』（思潮社、一九九八）のなかに詳しく書かれているのでゆずりたい。

すでに述べたように、詩人たちとの出会いを機縁に氏は「ものかき」の世界に首を突っ込み、『美術批評』誌（一九五二・一創刊）に、「絵画における人間の問題」（一九五三・一二）を載せるのが、美術批評家としての出発であった。時を経て、わたしは七〇年代半ばあたりから氏とは展覧会や個展の会場で話を交わすようになったが、会議や審査会などで同席し、互いに献本し合うようになるのは八〇年代に入ってからのことだ。

――「美術評論家連盟会報」（二〇一一年）に加筆

中原佑介──創造のための批評

1 追悼

この三月三日に中原佑介氏（一九三一―二〇一一）が亡くなったと知らされ、にわかに信じ難くて驚いている。戦後日本の美術批評界を文字通り担ってきた一人であったから、その死は惜しまれるが、わたしにとっても訊ねたいことは山ほどあった。残念至極である。回想して哀悼の意を表したいと思う。

最後にお会いしたのは昨年秋のことである。氏が審査委員長を務めている「第二四回ＵＢＥビエンナーレ展」で、宇部市（山口県）に一泊したときだったのではないかと思う。いくぶんか痩せられようにもみえたが、いつもと変わらないシャンとした感じで、素足に靴をはいた洒落た身づくろいであった。審査は三百数十点の模型から二〇点を選んで決めるのに（公開審査だったので）、けっこうな時間を要したが、別に弱ったふうなところもなく、ときどき白い髭を人形のような細い指でなでては冗談をとばしていた。

休憩のときだった。氏はちょっとテレながら、こんなことを口にされた。「こんど現代企画室から、ぼくの著作集を出してもらうことになってね――」と。氏の著作が（氏にかぎらないけれども）、このところ書店などにみかけなくなって久しいので、よろこばしいことだと思ったが、立ち話ていどだったので詳しい内容を聞くに至らなかった。

夜の会食は（いつもと異なって）、不景気を反映してか、あるいは「市民のため」を気にされてなのか、ごくふつうの体裁であった。何年か前までは、亡くなった田中幸人氏が酒席のオンドをとっていたのを思い出していた（毎日新聞社が主催に入って仲間がいたということもあるが）。おそらく中原氏も同じ思いでいたのにちがいない。

＊

顧みると、中原氏と田中氏が同席した場で（宇部、青森、浦和の美術館界隈、銀座の某所というように数え切れないが）、どれほど無為の時間を費やしたかはかりしれない。よくもまあ口論をくりかえしていたものだと呆れるが、それでもそこには何か刺激的な空気の醸成されるものがあったように思う。適切な形容が思い浮かばないけれども、要するに「世間」の通用性に疑念をはさむ中原氏の「知のマイナス電流」が、夜の思考に酔うとしばしば激流のように走りまわる――とでもいったらいいだろうか。ちょいちょいと半畳を入れるコウジンさん（田中氏の愛称）に最終ターゲットが絞られることになって、中原流の「知のマイナス電流」がショートするという按配であった。あとはもうグチャグチャになって誰かが始末するということになる。

端からみていたら酒癖の悪い輩が絡んでいるだけの、みっともない風景にしか過ぎない。だが、あれでけっこう両人は無為の時間のなかに創造のタネを蒔いてくれていたように、わたしには思えるところがある。何か特別な時間ででもあったように受け取られると困るけれども――。

わたしに「プロレタリア・アートの展覧会をやれ――」などと喚《わめ》いていたが、よくよく考えてみれば、これなどは美術史的な調査研究の成果も乏しいし、運動それ自体をトータルな意味で示すような美術展だってひらかれたことはないわけだから、「世間」が不問にしてきたところを見抜いているのである。別の機会にお会いしたときに、わたしのほうから「あのアイディアには虚を衝かれましたね」と言ったりすると、ニヤッとされて、どうだ解かったかというような顔をする。とにかく憎めない御仁だといってさしつかえない。

このところの「仕分け」に象徴される人事・物事の白々しさには、いささか佗しい思いをするときがあるけれども、これもまた時の経過による「変化」なのだ、とわたしは思うようにしている。たしか武田泰淳は「滅亡について」というエッセイのなかで「縁起」ということばを当てていたが、これは諦めではなく、「変化」のなかに「縁起」をみる——という、そんな内容であった。わたしのなかのこういう自然主義者風の、また運命論者風の性質が拠り所とする空気を、中原佑介という批評家は嫌ったし近づこうとしなかったのは事実である。しかし批評家の衣を脱いだもう一人の中原佑介はちがっていたような印象がある。いつでも批評家としては（その管理下において）、余計な感傷の襞を切り落としてしまうが、「大衆芸術」や「マージナル・アート」——つまり鶴見俊輔の『限界芸術論』で謂うところの分類を借りれば、時代の隅っこにおしやられているもの、傍流にあるもの、ないしは「辺境」に属するもの——には、異常なほどの関心を示した。デザイン、マンガ、映画、写真などへの踏み込みもふつうではない。興味と関心をつのらせて雑誌の発刊や編集にも積極的に乗り出した時期がある（『フィルム』や『芸術倶楽部』）。そうかと思うと『見ることの神話』（フィルムアート社、一九七二年）のごとく、批評家として「純粋芸術」の理論的展開がどこまで可能か——というような課題を意識的に展開しようとした仕事もある。また科学的・数学的領域に近接した芸術のジャンルを（ある意味で）啓蒙的な視点でわかりやすく説いた『大発明物語』（美術出版社、一九七五年）などは（まさに、いまこの時期に）、手元において何かと参照したい一冊だといっていい。

＊

やはり昨年秋のことであった。どこかの会議に出たあとの帰り途で、中原氏と取りとめのない話を交わしていた。別れ際に氏が「アレはどうも、嬉しかったよ」と礼を言われたことがあった。「アレ」というのは、氏に贈った拙著『鞄に入れた本の話』（みすず書房、二〇一〇年）のことである。そのなかに氏の著作『ブランクーシ』（美術出版社、一九八六年）について書いた一文を収録していたのである。

所用でパリにあって、たまたまモンパルナス墓地を訪ねたときに、あるロシア人女性の墓石の上にブランクーシの《接吻》が据えられていたのをみて、どうしてブランクーシの作品が、こんなかたちで存在することになったのか、そのわけを知りたくて再読することになった本であった。

一組の男女の悲恋の思い出にかかわる作品であることはわかったが、しかし、それだけでない。この「接吻」というモチーフが、いかにブランクーシにとって大切なものであったかを、じつに丁寧にたどっていて、ロダンの有名な《接吻》との関係や、最終的には生まれ故郷ルーマニアのトゥルグ・ジュ公園に設置された《接吻の門》にまで、どうしてこのモチーフはつながっているのかというように、執拗に問い返されているのである。

なぜ、こんなことを（あえて）書くのかというと、中原氏が「悲恋のレクイエム」から論の口火を切っていながら、その悲恋の「ものがたり」それ自体のことではなく、ブランクーシの彫刻思想の根底にあるもの（「イデー」といってもいい）を提示する目的で、この「悲恋のレクイエム」を論考の枕に振っている、そのことが、いかにもブランクーシへの「献花」のようにも思えたからだ。

わたしは読みながら思った。自分ならば、きっとこの悲恋の「ものがたり」に終始してしまって（おそらく）、ブランクーシの彫刻思想をあとまわしにするだろう――と。

ところが中原氏は、こういういわば人生と芸術との混同のなかにかいまみる「美しき誤解」には用心深い。ブランクーシの死の前年にアトリエを訪ねたポーランドの美術批評家（B・ウルバノヴィッチ）のインタビューの一節をはさんでいるだけで、感情に曇る妙な恣意をまじえたりはしない。ブランクーシは、こう応えていると書くのである。

「――私の習慣として、その彫刻のために長い時間をかけたが、私は二人の概観が再現的である程、真実から遠いことがわかった。（中略）私はこの一組のカップルのことだけでなく、この世で愛し合って果たせなかったすべてのカップルのことを思い起こしてほしいと思う」と。

なるほど、そうだったのかということになるのだが、氏の考察は、そこで終わらない。つまり、モンパルナスの墓地の《接吻》の話には決着をつけたが、複数ある《接吻》を紹介しながら、ブランクーシが同じ主題――《マイアストラ》にはじまる《空間の鳥》の連作のように――を繰り返し取り上げたのは、なぜなのか、そして「接吻」というモチーフを選んだのは、どういう理由からなのか（わたしは高級な推理小説を手にしたような印象をもったが）を徹底した取材と資料の裏づけで、一種の実証的な研究姿勢で論じているのである。

＊

わたしの好みにしたがって、氏の著作から《ブランクーシ》を引き合いに出したような恰好になった。が、おもしろく読んだということでは『一九三〇年代のメキシコ』（メタローグ、一九九四年）をとりあげたほうがよかったかもしれない。

一〇代の半ばに、その名を知ったというディエゴ・リベラから書き起こして、クレメンテ・オロスコやアルファロ・シケイロスなどのメキシコの壁画運動をふくめて、芸術家たちの国際的交流が渦巻いた時期を丹念に追っている。たとえば「トロツキーの襲撃事件」の事実を確かめ、最後は九一歳の写真家アルバレス・ブラボを訪ねたくだりなどは圧巻だ。セルゲイ・エイゼンシュテインやアンドレ・ブルトンのことを聞き出して、いかにもそれとないかたちの（まあ、中原流といっていいだろうと思うが）、ちょっと乾いた文章で書いている。

わたしはふと思い出した。入澤ユカ氏の「中原佑介の批評」（『八〇年代美術一〇〇のかたち　INAXギャラリー＋中原佑介』一九九一年）の冒頭の一節を。

「私の記憶に間違いがなければ、中原佑介という美術評論家は、ただの一度もこの四〇〇字三枚という『アートニュース』の文章の中で、作家その人の、人となりについて言及したことがない。時には作家のアトリエを訪ね、素材や技法について質問し、美術について語り、激論をしても、彼は作家の作品が、作品たり得た構造についてしか語らない、日本ではきわめて特異な批評家だと思う」と。

言われるとおりだと思う。確かにドライな書き方をする批評家である。作家の制作のいきさつには関心をもつが、作家の内省に踏み込むことを避け、むしろ作品の明証性について書く傾向があるといっていいのだろう。

これはおそらく、中原氏の批評の出発と関係があるのではないか、とわたしは解している。すでに亡くなった東野芳明、針生一郎の両氏をくわえて、美術批評の「御三家」などと称された時期があったけれども、中原氏を特徴づけていたのはもともとの出が理論物理の領域にあったせいか（わたしの印象だが）、芸術の諸相を分析的・統合的な視点でとらえる傾向がつよかったように思う。

自己については語りたがらなかった中原氏である。わたしの知っていることもせいぜい「人物事典」などの域を出るものではない。

中原佑介氏は、一九三一（昭和六）年神戸に生まれ、そこに育った。一九五三年に京都大学理学部物理学科を卒業。そのあと同大学大学院を中退しているが、理論物理を専攻していて、あのノーベル物理学賞受賞者の湯川秀樹研究室に籍を置いていたのだという。どういう理由で応募したのか知らないが、はじめて書いたという「創造のための批評」が、第二回美術評論賞（美術出版社主催、一九五五年）を受賞することになり、この受賞をきっかけに評論活動に入ったということである。

聞きおよんでいるところによると、芸術や詩などにはもとから興味があり、ペンネームの「中原佑介」は、早世の詩人・中原中也にあやかったものであるという。本名は「江戸頌昌《のぶよし》」。歴史学とか民俗学のほうにでも出ていけば、けっこう恰好のつく綾のある名前であると思えるが(それはさて措き)、詩人にあやかったペンネームで評論活動に入ったというのは、ある意味で、氏のダンディズムを示しているような気もするのだが、どうだろう。

どちらにせよ氏の批評の一々について、ここで具体的に多くの著書(編著)や諸々の活動に照らして論じる能力をわたしは持ち合わせていないので、いささか目配りに欠けた追悼の一文となったが、こころに引っかかっているのは(ずいぶん前の話だが)、氏が長期にわたって集めた文献資料類のことである。何度かどこかにまとめたかたちで渡したいという相談を受けたが(諸般の事情で)、そのままになっている。

＊

氏とのつきあいの思い出はたくさんある。

だから酒席などでは(とくにそうだったが)、いったん芸術論の厄介な話になると、けっして後に引くことはなく、どんな相手でも論破し降参するまでトコトン論争をつづけるということがよくあった。しかし晩年はいたって好々爺の風に微笑をうかべて批判の矢を鉾に収めることが多くなっていた。それでも訳知りの話を耳にしたりすると、妙なもので、ちょっと表情がこわばることがあった。感情の始末をうまくできないディレンマに、自身がいちばん苦しんでいたのかもしれないと思った。

そうした屈折した繊細なところのあった中原氏であるが、しばしばアインシュタインの「相対性理論」をはじめ高等数学の話などを、素人のわたしのような者でもわかるように、易しく解説をしてくれることがあった。いまでは懐かしい思い出となっている。

――『インボス』第四号（カスヤの森現代美術館、二〇一一年）

2　中原佑介著『ブランクーシ』

旅程を終え、わたしはかねて気になっていたモンパルナスの墓地を訪ねることにした。二〇〇八年三月一八日、雨模様の午前中であった。

閑散とした墓地の入口で小さな地図をもらい、同行の友人堀越誠氏と傘をさしながら互いに目当ての墓を探した。堀越氏はパリで客死した画家・木村忠太の墓を、わたしのほうはコンスタンチン・ブランクーシの墓を探すことになった。

ブランクーシといえば、二〇世紀前半の新しい芸術思想の渦中に生きた彫刻家である。イサム・ノグチをはじめ多くの若い野心的な彫刻家を刺激して、久しく伝説のなかにあった彫刻家だ。

一〇年ちかく前に、わたしはポンピドゥー・センターでブランクーシの大回顧展があったときに居合わせ、そのときにみた感動をいまでも思い起こすと震えるような気持ちになる。

一九〇四年にブランクーシはルーマニアの片田舎から徒歩でパリにやってきて、ロダンに学ぶが、ほどなく「大樹の下には新芽は育たない」といってロダンのもとを去ってしまう。これはよく知られた話。ロダンの偉大さを物語っていると同時に、先駆的な仕事をしようとしたブランクーシとの、時代に果たした役割の違いを示す逸話といっていい。アフリカ彫刻をはじめエジプトやキクラデスの彫刻などからヒントを得て、それに祖国の民俗的な職人技を加え、ごく限られた主題のなかで（例えば鳥の本質を「飛翔」のかたちに抽象化するというように)、彫刻の究極的フォルムを追求した、いわば現代彫刻の最初の作家の一人となっているのが、ブランクーシである——そんなことが脳裏を掠めていた。

ところが、地図に一八区四番と示されているブランクーシの墓をわたしは見つけられなかった。その代わり地図の一九区にある「ブランクーシの《接吻》」として知られる墓を訪ねることにした。

墓は区割りの片隅にあった。鉢植えのパンジーが置かれていて、いましがた誰かがお参りにきたのかもしれないというような雰囲気でもあった。墓石にはタニューシカ・ラシェーフスカヤと刻まれている。ロシア人女性の墓である。彼女は、パリでクララ・マルベというルーマニアの女性に出会い、そのクララの兄ソロモン(医者の卵)に接して恋に落ち、二人は婚約者の間柄となっていた。ところが、一九一〇年一二月五日、彼女は婚約者を残して自室で縊死《いし》してしまうのである。二三歳の若さだった。ブランクーシは一組の男女の思い出を残す作品の依頼を受けて、この《接吻》を制作したのである。

この本は、この「悲恋のレクイエム」から書き始められている。わたしは戻ってから再読ということになった。日本で最初のブランクーシに関するこの研究書は、ブランクーシにとって「接吻」というモチーフがいかに大切なものであったのかを丁寧にあとづけている。ロダンの有名な《接吻》(一八八六年)と関係があるのかないのか、あるいはトゥルグ・ジュ公園(ルーマニア)のモニュメントの一つである《接吻の門》(一九三八年)にまで展開したのは、なぜなのか——というように、である。

著者の中原佑介氏は、京都大学の湯川秀樹研究室で理論物理学に親しんだ異色の美術批評家である。学生時代に読んだルイス・マンフォードの『技術と文明』によってブランクーシの名を知り、そのマンフォードが機械文明との関連でブランクーシの連作《空間の鳥》を論じていたが、そこからはみだすものがあったのだと「あとがき」に記している。

——『鞄に入れた本の話』（みすず書房、二〇一〇年）収録

3　偲ぶ会、他

二〇一一年八月二〇日、二時からの中原祐介氏を偲ぶ会（ヒルサイド）に出席する。代官山駅に少々はやく着いたので近くの喫茶店に寄った。そのすぐあとに国際芸術センター青森の日沼禎子さんやギャラリー16（京都）の井上道子さんらが遠路やってきて挨拶をした。彫刻家の内田晴之氏も脇にいて、どうしたわけか鞄から自製のジャムを取り出して、わたしにくれた。

偲ぶ会は「中原祐介美術批評選集」全一二巻（現代企画室＋BankART出版）の出版記念会をかねていた。司会は植松奎二氏で、わたしが中原氏の『ブランクーシ』を軸にした話をして口火を切り、河口龍夫氏、建畠晢氏、池田龍雄氏、蓑豊氏などの他、中原氏とかかわりをもった人たちが、それぞれに話すところとなった。印象深かったのは、とびいりで——といって、マイクをもった上甲みどりさんが、かつてご自分もその場にあって対応したという美術出版社主催の第二回美術評論募集で中原氏の「創造のための批評」が第一席となったときのいきさつを語った。

帰りがけに、芳賀徹氏にお会いした。また韓国からいらした美術史家の金英順さんから声をかけられたのをおぼえている。

＊

「選集」のうちすでに刊行されていた第一巻『創造のための批評—戦後美術批評の地平』と第五巻『「人間と

物質」展の射程—日本初の本格的な国際展』を受け取った。

帰路の車中で拾いよみしたのは「選集」についての一文で、それは第一巻の「通信」に書かれた北川フラム氏の「刊行の経緯と責任」であった。ああそうか、とわたしは宇部で中原氏にいわれた日のことを想起したが、北川・中原両氏の互いの信頼関係が産んだ「選集」ということなのだと気がついた。越後妻有アートトリエンナーレ展が介在していたのである。

このプロジェクトの取り組みを「既成の芸術の呪縛からの開放」という観点から高く評価してくれたのは、ほかでもなく中原氏であったと北川氏は語っている。

随分前のことだが、「共同通信社」文化部の井手和子さんの依頼で、わたしは中原氏と「屋外彫刻を考える」と題して、日本各地の事例を挙げて相互に原稿を書いたことがあった。

まだこの手の領域について論じるのは手探りみたいな面があった時期だが、最終回を葉山の日陰茶屋で対談した思い出がある。そのときの話は各地方紙に掲載されたが（たとえば「中國新聞」一九八九年三月二三・二四日）、「環境との調和が課題」（中原）、「街づくりの計画と連携」（酒井）と見出しになっているように、屋外彫刻についていかに新しい語彙をもって考えるか——というところまでは展開していかなかった。

＊

第一巻は、文字通り、中原氏の初期美術批評を一七本収めているが、なかで「二〇代のメッセージ」というエッセイは、理論物理を学んでいた学生時代に、映画と詩につよく惹かれるものがあったということを語り、エイゼンシュテインやマヤコフスキーに関心をつのらせていたという。そんななかでルイス・マンフォードの『技術と文明』（生田勉訳、鎌倉書房）を通してブランクーシを知り、また美術評論の募集に応じて第一席となったが、それを契機に批評家の道を歩むことになった――その間のいきさつを中原氏は書いている。

「結局、私は、理論物理の演技者にならなかったし、その専門的観客にもならなかった。しかし先程の迷いということでいえば、私は二〇代なかばになって、演技者ではなく専門的観客という道を選び、以来その道を歩んできたことになる。ステージには物理学者という演技者に替って美術家が登場したのである」。

一九六〇年の最初の渡欧で、中原氏はパリのブランクーシのアトリエを訪ね、また奇遇にも歿後の回顧展をヴェネツィア・ビエンナーレで見ることになった――と語っている。

二〇一二年（八月―九月）に「言葉と美術が繋ぐもの――中原佑介へのオマージュ展」（ギャラリーヤマキファインアート）が開催され、さらに二〇一六年（二月から四月）に「美術は語られる――評論家・中原佑介の眼」展（DIC川村記念美術館）が開催されたことを付記しておく。

山口昌男―測りようのない物差し

山口昌男氏（一九三一―二〇一三）は、この三月一〇日に亡くなった。わたしは翌日の新聞で、その訃を知った。しばらく体調を崩されて回復もままならないと聞いていたけれども、それでも亡くなった現実を前にすると、やはり何か大きな存在が、この世から消えてしまったという思いに駆られる。山口さんには、どこか茫洋としてつかまえがたいスケールの大きさと好奇心の旺盛さをもったところがあって、まさに現代日本の「知の冒険者」と呼ばれるにふさわしい文化人類学者であった。

ある時期によくお目にかかることがあったので、わたしにとっても忘れ難い人になっているが、じつに人懐っこくて明るい人であった。悪戯っ子のように、ちょっと恥じらいをふくむ何ともいえないユーモアにつつんだ話し方をする人でもあった。そんな山口さんの思い出のなかの片影をいくつか書いておきたい。

最初にお会いしたのはいつか憶えていない。けれども、出会いの光景として思い出すのは、一九八〇年代半ばのある日の夕方のことである。突然、山口さんが、その頃、わたしが勤めていた神奈川県立近代美術館（鎌倉）に訪ねてきたことがあった。

わたしはトーチカ風の別棟の学芸員室にいた。受付から呼ばれて出てみると、あの独特の笑みを浮かべた山口さんが立っているではないか。その傍らには何と大江健三郎氏が立っていた。大江さんとは鎌倉の日高六郎先生の家でお会いし、そのすぐあとに大江さん手ずからの梱包で、新著『壊れものとしての人間』（講談社、一九七〇年）を贈っていただいたことがあったのを思い出した。その心遣いに感謝して十数年ぶりの再会となった。

それはともかく、山口さんはいつもわたしにたいして昔懐かしい友人のような遇し方をする。こちらもついその気になるので、二人のかかわりを眺める第三者は、山口さんをわたしの中学か高校の先生でもあるかのように感じるらしい。その日は大江さんがいらしたから、山口さんも遠慮されたのではないかと思うが、ちょっと畏まった言い方で「辻堂にお住まいだった林達夫氏の一周忌に来て、その帰りに寄ったのだ――」ということであった。

わたしは林達夫という人には接点がなかったけれども、ときどき土方定一館長から人となりの話を聞き、また久野収との対話集『思想のドラマトゥルギー』（平凡社、一九七四年）などを読んだりしていたので、この「知の巨人」の一周忌に山口さんや大江さんが詣でるというのもわかる気がした。しかし、この二人とそのときにどんな話をしたのかは憶えてはいない。入れ代わり立ち代わりお客さんがあって、いつもごった返していたから、お二人には挨拶をした程度で館内にお連れしたのではないかと思う。

春の午後のやわらかな日差しに、眩しそうにしていた二人の姿を思い起こすのである。

*

山口さんには、わたしの小さな物差しなどでは測りようのない膨大な量の仕事がある。そしてそれはまた、ことごとく独創的な思想を感じさせる内容のものとなっている。例えば「中心と周縁」とか「両義性」あるいは「トリックスター」などの形容で知られるこれらの理論は、新しい試みを孕んだ思索の運動として、旧来の概念を超えてゆくための、いわばヤマグチ流の方程式であった。

しかし、こういう明日の学問を批評的に拓いていく素地が、日本では形成されにくいのか、山口さんはときどき独り言のようにボヤクことがあった。わたしのところを訪ねて雑談に耽っていて、ふと文化人類学のいわゆるアカデミックな体制側からの軋轢に耐えかねたのか、あるいはもっと別の理由からなのか、とにかく、「ぼくを美術評論家の仲間入りをさせてくれないかね――」などといった。真意を量りかねたが、そういうときの山口さんは、外向きの文化人類学者の顔ではなく、内向きの文学青年のような顔になってる。わたしは「はぐれ学者」の孤独な顔なのだろうと思ったりした。

山口さんの本でわたしの好きな一冊に、中村雄二郎氏との共著『知の旅への誘い』（岩波新書、一九八一年）がある。なかで山口さんは「網走博物館」について、そこは「異郷性に満ちた空間」と称して「見えない部分の多いアイヌ系の人たちの世界を読むことの出来る一種の立体的な書物であった――」と書いていた。わたしの郷里にも「水産試験場」という施設があって、似たような感懐を抱いていたが、こんな視点はついぞもてなかった。

「マゲモノ屋」と称して、わたしは幕末維新の美術史研究をテリトリーに、ようやく物書きの端くれに加えてもらっていた頃のことではあったが、どうも辺境の地・北海道の生まれ育ちのせいか、いわゆる「佐幕」（山口流にいえば「敗者の側」）に傾いて、日本近代の史実とのつきあいにも、ちょっぴり狭苦しさを感じるようになっていた。思考が立体的な空間（つまり世界史とかかわるような視点の獲得）へと展開しなくなっていたのである。そんなときによく拾い読みしたのが『知の旅への誘い』であった。

わたしのモヤモヤを解消することになるには、しばらく時間を要したが、山口さんから聞いた話も大いに考えるヒントになった。

晩年の柳田國男に山口さんが会ったときに、出身を訊かれて山口さんが「北海道です」と答えたら、それだけで柳田は「民俗学はダメですね」といわれたというのである。ところが山口さんはわたしにこういったのだ。「サカイさんね、しょげることはないよ、民俗学に替わって文化人類学があり、アフリカでも南米でも世界中どこへでもいって研究すればいい――」と。

この話は、わたしの眼前をパーッと開いてくれた感じだった。

＊

山口さんの本の送呈者リストに、いつ頃からわたしの名が加えられたのかは知らないが、山口さんから恵まれた著書はずいぶんの数になる。なかで『「挫折」の昭和史』と『「敗者」の精神史』（いずれも岩波書店、一九九五年）には、ちょっとした思い出がある。

立てつづけに贈られたので、わたしは鞄のなかに入れて車中の読書にした。しかし何とも分厚い。車中には不向きなので（それに夏の暑い盛りの読書となったので）、結局、机上のツンドクとなってしまった。それでも「敗者」のほうは、気が向くとページを繰っていた。その証拠に、先頃終えた「暮らしと美術と髙島屋」展（世田谷美術館、二〇一三年）のカタログに、わたしは「――文化装置としての百貨店」について書かれてあったのを思い出し（少々であるが引用し）、企画のアイディアについても山口さんから啓発されたところが大いにあったということを書き添えた。

そういうわけなのでツンドクというよりは、愛読書といわなければいけないが、どちらにせよ、この分厚い二冊を贈られて、一年ほど過ぎたある日のことであった。山口さんから電話があった。第二三回大佛次郎賞を頂戴したので、そのお礼を述べたい、ついては鎌倉雪ノ下の大佛邸に案内してほしいのだという。わたしは山口さんの意向を旧知の野尻政子さん（大佛次郎の養女）につたえた。

山口さんは美術館に顔を出し、わたしと一緒に歩いて数分のところにある大佛邸へ伺うことになった。ずいぶん義理堅い人だなあと思った。大佛邸で一通りのあいさつをしたあと、山口さんは、さっそく仏前で手を合わせて神妙な面持ちであった。

野尻さんは実父が野尻抱影なので、大佛次郎のことを「叔父は――」という言い方をする。その叔父の最後の大仕事が「朝日新聞」に連載された『天皇の世紀』であった。これは未完に終わったけれども、執筆中の壮絶な闘病のようすなどを、野尻さんは山口さんに話していたのを憶えている。けれども山口さんの話は残念ながら思い出さない。

いまになって、こんな推測はしないに越したことないが（一九七〇年前後のことだが）、人類学批判を掲げた「大朝日」の有名記者（本多勝一）に、少壮の人類学者としての山口昌男氏が食らいついて、人類学の本意はこういうものでしょう（「調査する者の眼」『山口昌男コレクション』今福龍太編、ちくま学芸文庫）と、真摯に反論していたのを思い出してしまうのである。大佛次郎賞とはいっても「大朝日」の賞でもある。そのことが山口さんの心を少々落ち着かなくさせていたのではないか、とわたしは推測するからである。

大佛邸へ足をはこんで、一通りの礼を果たした山口さんである――というだけでは、いかにも素っ気ない。殺風景だ。わたしはこうした小さな行為を妙に大事にして生きた山口さんを好むし、誰かに見届けていてほしいという気持ちからわたしを誘ったわけでもない。こういうのをおそらく宮沢賢治が謂うところの「心象スケッチ屋」と形容していいのだろうと思う。

多分、大佛邸訪問の前だと思う。沖縄県立芸術大学に集中講義にきていた山口さんと、偶然、わたしは那覇の「瓢亭」でお会いした。学生たちに囲まれて嬉しそうに坐して昼食をとっていた。いくぶんか日焼けした顔の山口さんであったが、あちこちの骨董店をみて歩いた話を聞き、また講義のテーマが何と「宮沢賢治と音楽」であるといわれたので、わたしは洒落たことやる人だなあと思った。

夕方の便で帰ることになっていたので、そのときだけの出会いとなったが、これまた山口さんに訊いておけばよかったなという思いに駆られるのは、ジャズのライブで知られる「寓話」のピアニスト、長良文雄氏の演奏についてであった。わたしは堪能した。

＊

さて、思い出のなかの山口さんということになると、やはり、札幌大学の課外授業の一つとして企画された「北方文化フォーラム」の講師に招かれたときのことにふれなければならない。毎週火曜日の夕刻を、そのための時間として用意しているから、とにかく一泊のつもりでやってきてほしいという知らせが入った。二回ほど出かけることになったかな。久しぶりの再会となるので興奮したが、最初のテーマが何であったか思い出せない。おそらくイサム・ノグチかダニ・カラヴァンのことを話したのではないかと思う。二回目は砂澤ビッキについて話したのは間違いない。

これは山口さんが、わたしに声をかけてくれたケースである。だが、わたしのほうから山口さんにお願いしたケースも一回だけあった。

札幌市当局が芸術の森美術館のあとモエレ沼公園（ノグチのデザイン）ができたので、市全体の将来図をどのように描くか――そんな構想について相談できる然るべき人がいたら是非に紹介してほしいというのであった。それはもう山口学長（札幌大学）を置いてほかにはいないよと答え、そんなこれやで市のお偉方をあつめて、一席お願いしたことがあった。

びっくり仰天したのは、山口さんが札幌の市街地と芸術の森とモエレ沼公園とを、ズボーンと一本の線を引いて串刺しにし、やはり、これからの都市には太い「軸線」が必要でしょうといったことであった。咄嗟に思いついた都市の例をあげて説明していたが、仔細は忘れた。ただ「軸線」ということばだけは妙に耳に残った。数年後、ダニ・カラヴァンと会って話をしてきた——と、山口さんがわたしにつたえてくれたときに、二人の会話はカラヴァンの《大都市軸》（セルジ・ポントワーズ、フランス）をめぐって繰り広げられたのだろうと想像した。

市の当局からは、その後ウンともスンともいってこなかった。

山口さんは八面六臂の自分の活躍と併せて、札幌大学を拠点に、何か具体的な手応えのある「学祭」の営みを念願していたように思える。わたしが二度目の講演によばれたときには、学長室の壁が取っ払われて、ちょっとしたギャラリースペースになっていた。「砂澤ビッキ展」と銘打ってデッサンと彫刻が展示されていた。山口さんは至極満足なようすであった。石塚純一氏や今福龍太氏などの教授陣がそばで笑みを浮かべて、山口学長を温かくみまもっているという感じであった。世界広しといえども学長室を、こんなふうに開放してしまったという例は聞いたことがない。わたしはただ唖然とするばかりであった。

しかし、ここのところをもう少し順序立てて話してみよう。

「砂澤ビッキ展」があって、それでわたしは招かれたのである。まだスライドの時代だった。だから画像を用意していったが、そのとき思いついたのは、砂澤涼子夫人が「ビッキはね、《コンドルは飛んで行く》を聴くと、感激して涙をうかべるのよ——」といっていたことであった。わたしは講演の初っ端に、そのペルーの音楽を奏でてもらった。お茶を濁そうという魂胆ではなく砂澤ビッキの感情の世界を自分でも味わってみたかったからである。

講演が済んでから、アイヌの青年による口琴の演奏会が「旧館長室」のギャラリーで催された。こういう山口さんの段取りのつけかたには、さすがと思わせられるものがあった。人種や差別のことなど一言も口にしない。でも心の深いところで、人間同士が共感し合えることの大切さを（それとないかたちで）暗示しているのを感じた。

『はみ出しの文法—敗者学をめぐって』（平凡社、二〇〇一年）のなかで、坪内祐三氏と石井研堂の『明治事物起原』をめぐっての対談で、山口さんはこんなことをいっている。

E・H・ゴンブリッチが、アビー・ヴァールブルクの「伝記」でヴァールブルクは膨大な美術資料を分類する際、「イン・ザ・グッド・ネイバーフッド」を重視したが、それは「おのずから寄り合うような関係」というのだね——と述べている。

山口さんとゴンブリッチの対談（「美術史への道」『思想』一九八〇年九月号）は、かなり以前のことであるが、山口さんはどこかにヴァールブルク研究所を理想とする「夢」（まあ、学問と想像力の幸せな結合といってもいい）を養っていたような気がする。例えそれが小さな規模であっても、そこには学問と想像力の幸せな結合をもくろむ〝トリックスター〟山口昌男の本領が潜伏されていたはずだからである。

いずれにせよ、わたしは悪戯好きの山口さんの、あの漫画の愛好者であることにかわりはない。

——「美術ペン」一三九号＋一四〇号（二〇一三年春＋秋）

芳賀徹氏を偲んで

芳賀徹氏（一九三一―二〇二〇）が、この二月二〇日に八八歳で亡くなった。わたしは新聞を手にしてしばし呆然とした。

芳賀さんの専門は比較文学・比較文化史である。しかし、それだけにとどまらない。広い識見と思考の弾力性をもった芳賀さんは、日本の近代美術史研究の領域においても数々の魅力的な仕事を残している。

なかでも『絵画の領分』（朝日新聞社、一九八四年）は、まさに重箱の隅をつついて、ちっとも見通しの立たない推論を吐いていたわたしには、かなり衝撃的な一書となったし、また四半世紀を経て出された『藝術の国日本』（角川学芸出版、二〇一〇年）にも興奮を覚えるものがあった。

後者には本屋の宣伝文句がはさんであって、そこには「絵画と詩文の芸術領域を往還し、その文化の表象を比較文化の手法によって読み解いた、長年の研究成果の集大成」とあり、芳賀さんが満を持して附したと思われる「画文交響」を副題としている。

いずれにせよ、この大部の二冊に、わたしはさまざまな未知の課題をあたえられ大いに刺激を受けていまにいたっている。

――とはいっても、わたしが預かった課題と刺激についてここで語るのは、この場に相応しい話にはならないので端折るけれども、振り返ってみると、半世紀に近い交誼を頂戴し、何かというと心にかけてもらったことなどが走馬灯のごとくに思い浮かんでくる。

最後にお会いしたのは、昨年五月中旬のことであった。折から第二回井上靖記念文化賞の贈呈式（アートホテル旭川）があり、受賞者の芳賀さんと選考委員の一人のわたしは一泊二日を快晴の旭川で過す幸運にめぐまれた。学徒のわたしが先生にご褒美を授ける側にいるというような、いささか可笑しな按配となったが、芳賀さんは嬉しそうにしていた。

「受賞の言葉」として、作家井上靖氏には意外なほどに文章の恩恵を受けていた——ということや、『石濤』のことを挙げて、その感触を受けついで自分もまた陶淵明以来の中韓日における桃源郷の詩画の系譜を一冊にまとめつつある——と語っていたが、それから一週間くらいして芳賀さんから『桃源の水脈』（名古屋大学出版会、二〇一九年）が贈られてきた。

＊

芳賀さんが亡くなったのは、偶々『六月の風』No.二二六（ウナックトウキョウ、二月号）に載っていた「弔詞」（朗々と読み上げたのにちがいない）を読み、そのみごとなお勤め振りに、先生はまだまだ健在だ——と思った矢先のことであった。芳賀さんを井上有一の書の虜《とりこ》にさせたのは海上雅臣氏（『六月の風』発行者）だが、昨年の秋に亡くなって、その「お別れの会」（二〇一九年一二月二日）での「弔詞」であった。

しかし考えてみれば、芳賀さんの亡くなる僅か二ヶ月前のことである。おそらく病躯を圧して式場に参じたのであろうと思われるが、そんなことをおくびにも出さずに、その「弔詞」は、すこぶる精彩に富んだものとなっている。もちろん亡くなったかたへの感謝と讃辞を述べたなかでの回想となっているのだが、芳賀さんは感に堪えないといった気分を静かに発散させて、自身の留学時代を懐かしんでいる。

一九五〇年代半ばのパリで、アンフォルメル運動の渦中にあった今井俊満や堂本尚郎などとの親交は、そのままサム・フランシスやジョルジュ・マチュウあるいはカレル・アペルなどの外国人画家たちとの接触を生み、その後「具体美術」の頭目としての吉原治良や白髪一雄などとの出会いについてもふれている。このときの体験は想像していた以上に深刻なものであったし、また一種の哲学的な体験とでもいえるものであった――と語っている。

やがて（ズーッと後になって）、そこに井上有一という稀代の書家が、海上氏の誘導によって芳賀さんの内的世界に飛び込んできた――というわけである。

アンフォルメルの画家たちによる洗礼と、この書家との共鳴というだけではなく、自身が長年月を要して築いた「桃源境」の世界に、芳賀さんは与謝蕪村をはじめ小川芋銭や小杉放菴などの文人画家たちまでを招き入れて、文字通り「画文交響」の一大伽藍を構想していたのではないか――と、わたしは想像しながら「弔詞」を読んでいた。

ところが芳賀さんの旺盛なサービス精神は、プチブルの頭を捨てて、野生の身体に最先端の知性のみを宿して、手と足とで画を描け、書を書け――アンフォルメルも井上有一もサルトルの実存哲学などよりもっと本ものので、生で、野蛮でしかも鋭いのだ――とまで言わせている。戦後世界のもっとも大きな心身の正体への覚醒の運動であった――ということを熱く語っているのである。

こうした〈ハガ節〉に、わたしはいくども面食らい、脅かされる思いもしたが、それでも同調し敬愛の情を深めてきたのは、屈託ない詩的情操が鮮やかに彩る文章とウィットやユーモアのセンスに充ちた、あの独特の語り口に魅了されたからなのであろうと思っている。

＊

出さず仕舞いの手紙のあったことや、わたしが訊ねる勇気をもたなかったために、折角の相対《あいたい》の時間を失ったことなど、あれこれと思い出される。

あらかじめ出会いを想定していたというより、偶然のことなのだが、その筋の優れた研究者や編集者たちをよく紹介してくれた。もう随分前の話になるが、こんなこともあった。駒場の研究室に今井俊満のどでかい絵を立てかけてある、いちど見にきてよ——というので、出かけた日の夕刻だった。ゼミの若い学生たちに混じってわたしもテーブルを囲むことになったが、じつに愉しげな雰囲気であった。

とにかく気さくな人柄で偉ぶらない芳賀さんに、ひとつだけ聞きそびれたのは『名ごりの夢〈蘭医桂川家に生まれて〉』(今泉みね)のことだった。いまとなっては埒もない話しだが、ほんのちょっとだけ陶酔に浸る癖のあった先生が、どこかで殊更に褒めていたのを記憶していたからである。

——「美術ペン」一五九号(二〇二〇・春)

III

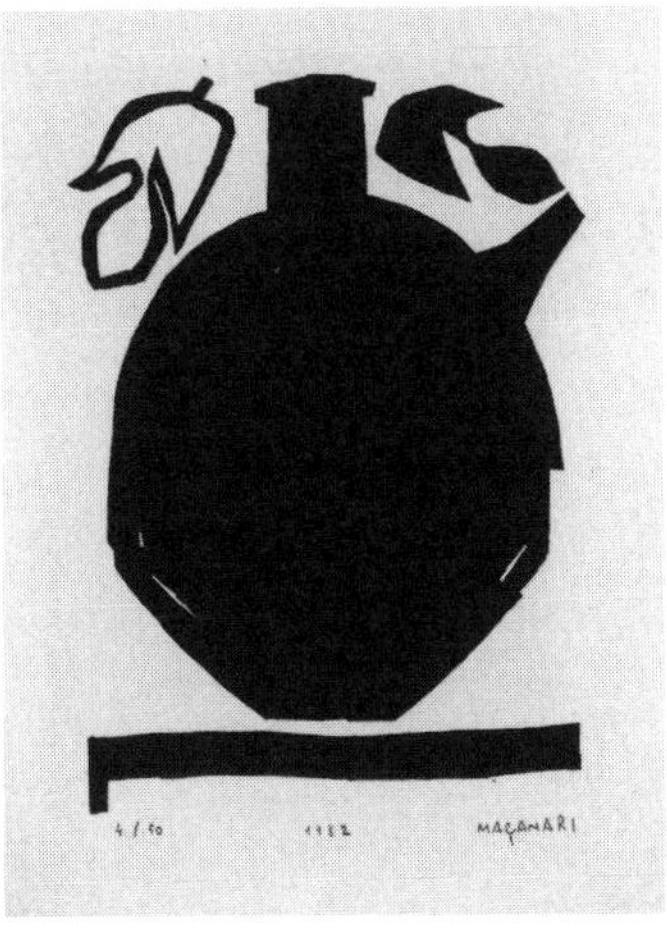

田中幸人―感性の祖形

いまでは、一九八〇年代の「毎日新聞」の美術批評欄で、健筆を振るっていた田中幸人氏と言っても、知る人は少ないであろう。知っていたとしても、ある年代以上の人たちに限られるかもしれない。

それもどちらかというと、いわゆる現代美術の領域に関心をつよくもった美術家ないし愛好者となるだろうが、しかし田中氏の文章は、結構、広い視野をもった眺めのいいところがあり、やや体制に批判的な味もあって、わたしには忘れがたい美術記者であった。

＊

その田中氏の片影をここに描いておきたい。

田中幸人氏が亡くなったのは、二〇〇四年三月二六日のことである。もっとまえに彼のことを書いておくべきだったが、ズルズルと日が経ってしまった。

だから、ちょっとばかし色褪せた思い出ということになるけれども、それにしても田中氏（愛称「コージンさん」）は、わたしには忘れがたい、独特な懐かしさを感じさせる人であった。

ところが想い出すのは、たいてい誰かといっしょの酒席である。

久しぶりにイタリアから帰国された豊福知徳氏を囲んで「葡萄屋（銀座）」で一献かたむけていたときのことである。

豊福氏が田中氏に、

「ネクタイをとって、リラックスしたら」

とすすめ、それから
「イタリアではネクタイピンをつかわないね」といった。

すると間髪をいれずに、田中氏は
「洗面台で用を足すときなどは濡れないでいいんだね」

と応える。

ちょっとしたネクタイピンの是非をめぐる話となった。

しかし、豊福氏は笑顔で話題の鉾を納めてしまったので、ピン派でなかったわたしもよけいな口出しはしなかった。

他愛のない話だが、こうした天邪鬼な田中氏のことを思い出すと、何ということもなくおかしいのである。

たいてい梯子酒となる田中氏が、終着の一つにしていた小料理屋があった。「コシキジマ（甑島）」とかいったかな、そこで連れの仲間にお茶漬けの効用を談じ、「勘定の心配は要らない、吾輩はここで寝る」といって横になった。しかたがないので店を出たことがあった。

修善寺のとある旅館では、中原佑介氏と「現代美術再生」の手立てはどこにあるか——と、延々と夜更けまでつづいたチャンバラがごとき「激論」は、いまでも眼に焼きついている。

これは双方が風呂に立って、痛み分けとなったが、同席された李禹煥氏とたまにお会いして、どちらかが話題にのぼると、きまって、あのときの「激論」にふれ、二人を思い浮かべると同時に、熱い議論が交わされていた時代があったことを懐かしく思ったものである。

まあ、これは始末にこまる酔っぱらいの話だといってしまえば、それまでであるが、しかし、田中氏が民族学や人類学をもちだして、滔々と捲くし立てるときには、しばしば啓発されることがあった。

あとでふれるが、諏訪の「御柱祭」の話などもその一つ。

＊

わたしとのつきあいは、田中氏が毎日新聞の美術記者時代というよりは、むしろ埼玉県立近代美術館の館長時代であったといっていい。

氏は現代美術と社会をつなぐ大切な役目を美術館も担っているのだという意識のつよい館長であった。まだ景気のいい時代のことだが、彼は埼玉県や地元の大学などにはたらきかけて、「アートに出会うまちづくり」構想をすすめたことがあり、わたしもその一環としての「建築＋彫刻」のプロジェクトで作家選考の審査委員をしたり、個人的にも相談を受けることがあった。

ところが、ひょんなときに新聞記者魂が貌を出すことがあった。

自分でも照れ笑いしながら取材に応じたりしていたが、根が記者だったので、いわゆる役人風の対応というか、ふつうの意味での公立美術館々長の立場にはなりきれなかったのではないかと思う。

メガネをひろい額の上に乗せて、愛くるしい眼を輝かせながら話す癖があったが、博多なまりで話す、その調子は（わたしの印象ですからアテにはなりませんが）、どこか老舗の若旦那風のところがあった。話の中身を切々とつたえるところは、いかにも進取の気に富んだ人らしく、ちょっと張り切った印象をあたえたが、たまに気合いが入り過ぎて、断定的な物言いにかわり、そうとうにラジカルな意味の発言をしていたのをおぼえている。

しかし関係者や行政当局と衝突するようなこともなく、熱っぽい館長だ――という印象を生んだのは、やはり新聞記者時代の経験によって培われたものがあったからなのだろう。

しかし、このあたりは微妙である。むしろ氏の知性の高さと人柄の良さが、そうしたギクシャクしそうな場面を、上手に均して無難なものにしたのだろうと解したほうがいい。

いずれにせよ氏の遠大な構想＝プロジェクトは、スタートして数年後に、自治体の大幅な予算の削減と、前向きな企業の後押しなどもなくなって、残念ながら短期的ものとして終息してしまったのである。

＊

この種の話で思い出すのは、おなじ頃に計画された青森市での「建築＋彫刻」のプロジェクトである。「あおもり野外彫刻展」は都合三回の審査会、また国際芸術センター青森の建築家を決める選考委員会、あるいはアーティスト・イン・レジデンス作家選考の審査会——など、いずれも中原佑介、田中幸人の両氏とわたしを審査委員に、コーディネーターの浜田剛爾氏が加わった四人で事にあたったものである。

青森という一地方都市の国際性の意味について論議した日のことは、三者が亡くなってしまったいま、わたしにとっては忘れられない貴重な思い出となっている。

青森県立保健大学開学記念として開催された「あおもり野外彫刻展—Ⅲ」（一九九九年）の審査後の座談会（カタログ「生命の絆・森のかたち」）で、話題が作品の「恒久性と一過性」、さらに「恒久性を保証する場所としての美術館」——におよんで、それぞれが意見を述べたあとで田中氏はこんな話をしている。

「私は美術館とは何のためにあるのかと言われると、〈都市づくりの発信基地である〉と、簡単に言ってしまうようにしています」と。そして「パブリックスペース」についても、単なる点としての公園ではなく、点と点をむすびつけてより広域的な視点から都市づくりの基本的な問題を考えたい——と語っている。

わたしは話を散らかすタイプだが、田中氏はよく考えぬくタイプで見出しのつけかたの上手い人だなと思った。

＊

田中氏は闘病の甲斐なく六六歳で亡くなった。

二年前から熊本市現代美術館の館長をつとめていたが、ついに復帰は適わなかった。

最後にお会いしたのは、二〇〇三年一二月上旬、五島記念文化財団の選考会（渋谷）に、田中氏が泊りがけで九州から出てこられたときである。このときには話らしい話はしなかった。相対で小一時間ほどを過したのは、この二か月前のことである。第二〇回現代日本彫刻展（宇部）の選考会の翌々日、わたしはソウルで開催の「李禹煥展」を見るため福岡に一泊する予定にしていたので、あらかじめ氏につたえてあった——。もしかしたら最後になるかもしれない——と冗談っぽく笑って、福岡・天神町の氏の行きつけの鮨屋に案内された。

「あんたが福岡にくると知っては放っておけないからね」といって、「病院から抜け出してきたんだ」と。膵臓を病んでいるのを聞いていたので、氏が地酒を注文されたのでびっくりした。当人は口にはされないが、客人への心づくしなのである。

いきなり斎藤義重と「複合体」シリーズについて語った。

氏が最後に手がけた「斎藤義重展」（二〇〇三年、岩手・千葉・島根・富山・熊本を巡回）のことが頭にあったからだろう。斎藤家（横浜の自宅）でインタビューをした話になった。そしてこの作家の創造の継起となっている「複合体」は、東アジアの美学の根拠をつくった老荘思想にむすびついている、いや奥深くしまわれている——といったかな、とにかく、インタビューが作家の逝去で中断してしまったのを惜しんでいた。

場が場なので、理屈に走った話にはならなかった。

とはいっても、わたしが「崩壊と構築との同時進行が、斎藤さんの面白いところ」といった李禹煥氏の話をすると、田中氏は、これは内緒だというふうないいかたで、

「斎藤さんは、〈モノ派〉でもっともそれらしいのは、菅（木志雄）くんかもしれないね」

といったというのである。この話は妙に記憶に残っている。

＊

田中氏の葬儀からもどった中原佑介氏が、場所はおぼえていないけれども感に堪えないというようすでこういった。

「田中君を〈コージン〉といわないで〈ゆきと〉〈ゆきと〉といったのを聴いて、涙が出てきてね――」と。

一瞬、わたしは真意を計りかねた。田中氏のほんらいの名前は〈ゆきと〉であって、われわれが、勝手に〈コージン〉と呼んでいただけの話なのだ。〈中原佑介〉だって、まるまるペンネームである。おそらく郷里の友だちあたりに「やあ、エド・ノブヨシ君」などと声をかけられたときのとまどい、そんな自分自身の気持ちの変化にかさなったのではないか――と、まあ、味気ない解釈をしたようなわけだが、中原氏には、氏なりの抑えがたい感情の高まりを誘引する理由があったのかもしれない。

それはともかく田中氏は懐かしさをつよく感じさせるところのある人だった。

田中氏の美術評論集『感性の祖形』（弦書房、二〇〇五年）が出たときに、購入して、一読し、そのまま書架に収めていた。あらためていま手にして気づくのは、遺稿集であるから当然であるが、当人の「まえがき」も「あ

とがき」もない。

中原氏が「序にかえて」の冒頭に、お通夜の席で菊畑茂久馬氏と話していて、田中氏に著作集がなかったということが話題になり、そこから刊行委員会をつくって出版のはこびとなった——と書かれている。

美術記者時代の展評、時評的なエッセー、あるいは画集などの作家論は、あまりに膨大な量を占めるのでここからは外されている。が、論集は田中氏の思索の運動が、縦横に織りなした多くの文章から、比較的長文のものを選んでいる。いずれの論考も読者につたえることを念頭にして、平易な文体でつづられ、恣意に陥ることを避ける手立てとして、人類学や民俗学の援用がある。といっても専門の領域とつかず離れずの距離のなかで、わかりやすく語っている。

なかでも諏訪の「御柱祭」についての一文（第七章）は、現代文明・文化への批判と提言となっていて感銘に深い。

九州育ちの田中氏は、「五年の東京住まいの挙句、スモッグにむせかえり、カスがたまって、もうぼろぼろになりかけていた」といい、たまたま「樹齢数百年の聖樹の霊脈」につながることによって活力をもらった——といっている。

表題にした「感性の祖形」（第二章）は、現代美術の個々の作家の創造の世界を検証して、「海の文化」「山の文化」を活性剤として着目することを主張した、いわば田中氏の思考の核をなしている一文といっていい。

ところが中原氏は「序にかえて」のなかで、次のように指摘した。

——田中幸人の「海の文化」「山の文化」に着目するのは解るが、「再生のための活性剤」として美術にみちびくのではなく、逆に美術を「都会の文化」から転移させて、「海の文化」「山の文化」そのものの要素として蘇生させる方途があるのではないか、つまり「脱都会の文化」としての美術の可能性をそこにみたい——と。
なるほどとは思うが、「コージンさん」は、生き方がちがう、といって食い下がるのではないかと思う。

——「美術ペン」一五六号（二〇一九・春）

付記　九州の山地民や沖縄の漁民の話を古老に取材した『漂民の文化誌』田中幸人・東靖 著（葦書房、一九八一年）がある。

米倉守——人生をもう一芝居

かつて新橋駅に近いところに「ガストロ」というバーがあった。急な階段をのぼった突き当りに、七、八人が座れるほどのカウンターがあり、狭い壁と酒瓶の棚には、瀧口修造の《デカルコマニー》が真んなかに飾られていた。ほかにはサム・フランシスやジャスパー・ジョーンズなどの南画廊あつかいの現代美術家の小品もあって、なかには店のコースターに描いたものなどが混じっていた。

その日、朝日新聞社での打合せを終え、わたしは米倉守氏（一九三八―二〇〇八）に連れられて、遅れてやってくる東野芳明氏を待って雑談していた。その雑談のなかでのことだが、米倉氏はこんなことを言った。

東野氏が高松次郎のアトリエを訪ねたときの話である。

「高松が延々とセザンヌについて語り、自作の苦しさを告白したのには、まいったよ」と。そして「作家の苦労につきあうわけにはいかないよ」と言ったという。

そこでわたしは半畳をいれるつもりでなく「その苦労にむしろ興味があるね」と漏らしたのである。

のちに米倉氏は、東野氏とわたしを対蹠的な批評家の例としてとりあげ、自分は、その中間にあるような、ちょっとユーモアをまじえた話に仕立て直して、何かのエッセイの枕にふっていたのをおぼえている。

じつにさり気ない会話だったと思っていたのだが、氏の手にかかると、一種、独特の味わいのある文章になるから不思議でもあった。

そうした米倉氏なのだが、ふりかえってみると、これぞと思う人がいると機会をつくってはわたしによく紹介してくれた。氏との縁がなければ出会えそうにない何人もの興味深い人と一刻をともに過したのをわたしはいまでも鮮明に記憶している。

東野氏もそうした一人であったといっていい。たがいに顔は知っていたけれども、じっくりと座して話すということがないままに久しく他人の関係でいた。ところが米倉氏が、その関係を変えてくれたのである。

朝日新聞の文化欄（特に美術の分野）を活性化してみたい——という意向から気の置けない批評家数人との打合せというか話し合いの機会を用意したのである。だから時々東野氏とも会うことになった。

——その夜、東野氏は「針灸院に行ってきた」といって姿を見せた。どんな話をしたのかおぼえがないけれども東野家の親族が脳梗塞で斃《たお》れていることから、そのへんが気になってね——と言っていたのだけはおぼえている。

＊

この少し前のことだが、アメリカ現代美術が売りの東野氏が「坂本繁二郎展を見て」（一九八二・四・二六）を書いていた。これは東野氏の発意というよりは、米倉氏の要請に応えたものであろう。何ともおもしろい取り合わせだと思ったものだが、結構、東野氏はノリだったよ——と米倉氏は語っていた。

互いに得手・不得手を何かをきっかけに克服したい、そんなつもりもあったのかもしれないが、米倉氏にしてみると、海外事情に精通している東野氏は相談しがいのある相手だったろうと思う。いっぽう米倉氏の日本（東洋）の美術と文学の知識は半端なものではなかっただけに、東野氏も大いにその方面のことに関してはたよりにしているようすであった。

後年、米倉氏が河北倫明氏を中心に企画した「両洋の眼」展の萌芽をすでにして予測させるものが、ここにはあったようにも思えるが、いずれにせよ米倉氏は、紙面の文化（美術）欄の充実を図る手立てをいろいろと探っている段階であった。

頼みやすさも手伝って、わたしは米倉氏の代役でよく社の空き部屋で展評などの原稿（匿名記事）を書かされたりしたが、なかなかシャンとした一文に仕上がらないのを知って愕然とすることしばしばであった。

打合せのあとは、三人で（岡田隆彦氏なども加わって四、五人の場合もあったが）「ガストロ」のほか、時々、有楽町駅のガード下にあった焼鳥屋に寄り、それから坂口安吾の未亡人（三千代）が経営する「クラクラ」というバーに顔を出すことがあった。朝日新聞社の米倉氏の同僚だった扇田昭彦氏（演劇評を担当）なども加わって、そこで長談義となることもあった。

前後のいきさつは忘れたが、かつて太宰治がよく通ったという新宿の「風紋」にまで連れ行かれて、そこで安田武氏を紹介されたのをおぼえている。

＊

この「風紋」でのことではないかと思うが、米倉氏の最後の仕事になった連載「東野芳明的評伝―アクアデミックの詩学」（『美術の窓』二〇〇五年七月―二〇〇八年三月）の「一　序・夢水の中で」に、二人がいかに互いを信頼しきっていたかを示す件がある。

主人公＝東野芳明との出会いは、大阪万博（一九七〇年）であったと書き、また東野氏と言えばデュシャンとくるのが当然とばかりに、米倉氏の話も夢と現実とのないまぜのなかにペンは弾んでいる。

極めつけは、あるバーで東野氏と米倉氏が酔漢を気どって掛け合い漫才のような「喧嘩ゲーム」という悪戯をやらかす話を書いている。ところが、偶々、そのシーンを中上健次氏に目撃され、後日、問われて米倉氏は

「蒼くなった」と書いている。

こういうところは単なる美術記者のかかわりではない。妙な言い方であるが、美術（あるいは美術界）をダシに、ある種の文学を生きていたのではないかといってもいいような按配である。

読者を曳き込む話し上手な氏の溢れるばかりの文の冴えを感じさせると同時に（それはそれとして）、ちょっと醒めた眼で見ると、お人よしの危なっかしい人間・米倉守が、そこにいるのを見る想いがしたものである。

東野氏は、その数年後（一九九〇年）に脳梗塞に襲われ、闘病の甲斐なく二〇〇五年に七五歳の生涯を閉じている。

＊

米倉氏の「東野芳明的評伝」は、東野氏への一種のオマージュであったといえる。同時にそれは二人の相聞のなかに往来する人との、いわば演劇的な対話ともなっているが、じつに気ままなスタイルで（思い出、記憶を織り込んで）書いている。

しかし病に臥した東野氏と「人生をもうひと芝居したいと思ったが、今は詮無いこと」と諦め、「あの現代美術が走ったこの国の昼間の夢をつかんでみたい」といって、まさに東野芳明の全盛時代（一九六〇年代半ばから八〇年代半ば）に的を絞り、話題を各方面に散らして書き進めた連載であった。

いわゆる行儀のいい評伝ではない。けれども夢野久作の『ドグラ・マグラ』なんかを想起させるね——などと、わたしがハガキで書き送ろうものなら、それはないよ——と、照れ屋のヨネさんは言うにちがいないが、そんな往来のないままに（妙なことに）、それから間もなく米倉氏自身は、ガンとの壮絶な闘いを強いられることになってしまったのである。結局、連載は未完に終わってしまう。

米倉氏が亡くなったのは、二〇〇八年二月二五日である。

わたし宛ての最後のハガキ（消印、〇七・一二・四）に、こう書いている。

「何度も温情ある便りいただいていながら返事もせず申し訳ありません。うれしいです。病敵とは格闘技的で放射線と抗ガン剤攻めに毎日通院でした。実は二一日トラブルがあって再入院。まだ入院中です。明日四日小さな手術をして、一週間程で退院の予定という体たらく。悔しいですが医師の言うまま。（中略）大学も一一月から出校のつもりでしたが断念しました。理事長から生涯学習はそのまま……といわれており、松本同様FAXで指示しております。東野伝はあと一息です。いつもご指示感謝です。現代美術（帰還不可）と、帰還不可の補陀落渡海を評伝の中で結びつけられそうです。超多忙の中の愛情に感謝し、小さな手術前にペンを取りました。ありがとうございます。」

このハガキは病室からのものである。万年筆による右肩上がりの癖のつよい字で書かれている。

米倉氏が多摩美術大学教授に迎えられたのは一九九四年であるが、その後、同大学造形表現学部長となり、このハガキのなかの「生涯学習」というのは、氏が主導的な役割を担った学科であった。

また「松本」とあるのは、二〇〇二年に開館した松本市美術館（長野県）の館長に就任し、アイディアマンの氏の企画（たとえば七〇歳以上の絵画の全国公募展「老いるほど若くなる」や市制百周年の記念展「松本平の神仏　百柱をたてる」など）を進めていたころの話なのだろう。が、残念なことに現場での指揮をとりつづけることは適わなかった。

そして「補陀落渡海」とあるのは、東野氏が病に襲われる一、二年前だったと思うが、この海の彼方の楽土、つまり一種の神仙思想の孕む世界に興味をおぼえるものがあったらしくて、盛んに調べ歩いていたのをおぼえている。鎌倉材木座の補陀落寺を教えてくれといわれ、電話であれこれ話をし、学生と一緒に調べにきてくれたこともあった。米倉氏もいろいろと話し相手になっていたようであった。

そのことを米倉氏は「東野伝」の結びにもってこようとしていたのではないだろうか。

とにかく美術館とそこにつながるいくつかの道筋よりほかに知らなかったころのわたしに、米倉氏との出会いは、尋ねる勇気の大切なことを訓えてくれたように思う。

──「森の道」二四号（二〇一九・冬）

付記　『みなと紀行』（朝日新聞社、一九七六年）のなかの「三国」は、東野芳明氏の執筆である。取材には米倉守氏が同行。味わい深い紀行となっている。

岡田隆彦――浸透する感性

1　夕映え

仲間うちでは、「氷川の殿」と呼んだ詩人美術評論家の岡田隆彦氏（一九三九―一九九七）とは、共通の友人も多く酒席をよくともにした。その出自については知らないけれども、そう呼んでもおかしくないような雰囲気をもち、またある種の貴族的な一面が備わっていた。

一九八〇年代はじめのころのことではないかと記憶している。

偶然、銀座で出くわしたことがあった。いきなり彼が「これから入院するので、ちょっとつきあってよ」という。エッどうしてと思った。付き添いが要るのならわたしは相応しくない、ほかに適任者がいるだろうと思ったからである。

すると彼は「入院前に……」といって、わたしを近くのビアホールに誘ったのである。

店のテーブルにつく早々、自分はいまアルコール依存症でこまっているといった。そういう身であるのなら、どうして飲むのかとわたしは思った。彼は「お預けになるからナ」といって、悪戯っぽい笑みを浮かべていたが、まったくあきれた人だと思った。

それからしばらくして、彼の好きなジョゼフ・コーネルの作品を表紙にした『時に岸なし』（思潮社、一九八五年）という一冊の詩集が贈られた。三四〇〇行におよんだ長編詩である。

アルコール依存症の恢復につとめた過程を軸に書きつがれた詩篇……云々と「あとがき」に記していた。深刻な事態をユーモアのセンスで切り返す彼の才能には、一種、独特なものがあったけれども、とにかく壮絶な詩集だ。にもかかわらず、どこか可笑しいのである。

夕日が落ちる寸前の街を、新橋のほうに向かって彼は歩いて行った。その帽子をかぶった姿をたまに想いだすことがある。

＊

これは十数年前(「朝日新聞」二〇〇四年九月一日)に書いた小文である。岡田さんは一九九七年二月二六日に亡くなったので、すでに二〇年を超したけれども、わたしには忘れがたい人である。

美術評論の現実的な場での出会いが主であるが、それよりもやはり活字を通して、わたしは彼にある種の親近感を抱きつづけたといったほうがいい。なかでも『夢みる力』(小沢書店、一九七七年)は、いまでもふと思い立ってページを開いてみることがある。

「あとがき」に「日頃、扱う対象のジャンルにこだわらず自由に語りたいと思っていて、それをいくらか意識的に試みたのが本書である。想像力の営みの諸相といったところが、さしづめ本書の主題である」と書いているが、もともと『美術手帖』誌(一九七三年)に「こちら精神覚醒科」のタイトルで掲載された一二篇のエッセイに他誌の一篇をくわえた内容である。

この本は岡田さんの資質がもっともよく発揮されたものとなっているのではないか、とわたしは思う。「犬のごとき芸術家」の一篇などは、拙著『若林奮　犬になった彫刻家』(みすず書房、二〇〇八年)でも大いに参照するところとなった。

ほかにはわたしが再読三読した岡田さんの著書ということになると、彼が好みとしたイヴ・タンギー、アーシル・ゴーキー、駒井哲郎、瀧口修造などについて書かれた『眼の至福—絵画とポエジー』（小沢書店、一九八五年）という本を挙げなければならないが、こちらは対象を自由に超えて「想像力の営みの諸相」にあそんだという『夢みる力』とはいささか趣を異にして、どちらかというと対象に本格的にせまった厚塗りのエッセイとなっている。八〇年代にはそのほか『かたちの発見』『夢を耕す』などの美術論集もあるが、いずれも読みごたえのあるもので、晩年にはそうした論考の先に生活態度をふくめていったい人は何をみるべきか——を問うた『芸術の生活化』（小沢書店、一九九三年）を上木している。

＊

——書架を捜してやっと出てきたのが『美術散歩５０章』（大和書房、一九七九年）。都合五〇回、筑摩書房の月刊『ちくま』に連載されたものをまとめたものだが、一人の画家と一人の詩人との出会いを短い文章でつづった一種のよみものとなっている。

この冊子の編集長が、何と詩人の吉岡実氏であったというのも二人をつなぐ何かがそこにあったのだろうと想像させる。おそらく吉岡さんからの依頼だろうけれども、毎月、岡田さんは原稿をわたすのを畏れ、また二人の時間をもつことができるのを愉しんでいたのではないかと想像する。

それはともかく岡田さんは、この連載中にアメリカに半年ほど滞在していて、ときどき旅日記風な感じでの原稿もあり、「アメリカの芸術家とエマスン」などは、その一つである。かねて訪ねたいと予定していたコンコード行の一篇で、よほど印象につよく残ったのか、同時期に『現代詩手帖』にも詩を送っていて、詩集『巨大な林檎のなかで』（河出書房新社、一九七八年）には、「コンコードを訪ねる」という一篇が入っている。詩集の「おぼえがき」に「語彙を慎重に選んだり、推敲したりしないで——」航空便で送ったからだ、と記しているのをまるまる信用してはいないが（ことばに神経質な人だったから）、岡田さんにしては、エマスンの家を訪ねためずらしく散文的な詩となっている。

いずれにせよ『美術散歩50章』を贈られたときに、わたしはちょっと大袈裟に、それぞれ一冊にできるテーマだからどこかで叢書でも編んだらおもしろいね、と岡田さんと話し合ったことがあったのをおぼえている。あらためてページを繰り「アメリカの芸術家とエマスン」の挿図を見ていてアレッと思った。木造の橋（コンコード・オールド・ノース・ブリッジ）の上で、夕日を浴びた岡田さんが欄干を手にして立ち、旅行鞄を肩にサングラスをかけて、じっとこちらを窺っている。ほかの図版はすべて作品なのに、どうしてこれだけ自身の記念写真にしたのか、また誰が撮ったのか——そんなことが妙に気になったのである。

2　ラファエル前派のことなど

イギリスにおいて、もっとも評価のたかい芸術といえば、文学を挙げるのが倣いである。中世文学を代表するものとしてチョーサーの『カンタベリー物語』があるし、ルネサンス期にはシェイクスピアを生み、また『失楽園』のミルトンが出現している。その後もバイロンをはじめ錚々たる文学者の名がならぶ。けれども、美術のほうは、コンスタブルやターナーなどの名が出てきて、ようやく世界美術史の一角を照らす画家の登場となるけれども、ちょっと後塵をはいしている感がある。

「ラファエル前派」というのは、イギリスがもっとも栄えた一九世紀後半のヴィクトリア朝時代に、絵画と文学との交響のなかで、若い芸術家たちが光芒をはなった運動である。一八四八年、W・H・ハント、D・G・ロセッティ、J・E・ミレーの三人の画家が、退嬰的な空気のロイヤル・アカデミーに反逆する意図を秘め、またラファエル以前（イタリア初期フレスコ壁画）の自然への素朴な態度に立ち還ることを目的にむすばれたグループ名である。さらに四人を加えて結社的な活動をするが、一八七〇年代半ば頃に解体した。そのロマン主義的な性格は、世紀末の憂愁の色を帯びた芸術至上主義の傾向へとバトンを渡してしまうが、擁護のペンをとった思想家ジョン・ラスキンや近代デザインの開拓者ウィリアム・モリスなどが、このグループと密接な関連を持っていたことでも知られる。

ところで、この『ラファエル前派　美しき〈宿命の女〉たち』（美術公論社、一九八四年）をわたしが取り上げるのは「ラファエル前派」についての話というより、著者岡田隆彦氏にかかわる縁辺に興味をおぼえるものがあったからだ、と言ったほうが適当かもしれない。

ほかでもなく、岡田さんは詩人であり美術評論家であった。仕事も両方にまたがっていた。わたしとも興味の対象が少々似ていて、そんなこともあって互いに関心を持ちながら親しくつきあった仲であった。

だからよく著書の贈呈を受け、この本も贈られて書架にしまってあった。ところが、共通の友人（吉増剛造、鍵岡正謹）から、いずれ「岡田隆彦著作集」を編纂するので美術の方面を手伝ってほしいと言われて（注）、この本を再読することになったのである。彼とともに過した時代の風景が紙背から滲んできたように思った。

「思えば、ラファエル前派を最初によみがえらせようとしたのは、言語による論理のペテンに飽きて感性による自然な生き方を実行しようとして六〇年代後半にアメリカ西海岸に集まってきたヒッピーたちである。かれらの着眼が先駆けとなり、世界中で世紀末のアール・ヌーヴォーがまず見直され、ついでその源泉であるウィリアム・ブレイクやラファエル前派が再評価されるようになったのである」（「あとがき」）と書いている。

岡田さんが、この「ラファエル前派」に特別な関心をもった理由としては、「生活の芸術化」（モリス）と文学（詩人として）へのこだわりがあったからだろうと思う。彼がダンディーな暮らしのスタイルを保持したのも無関係ではないし、名著『日本の世紀末』（小沢書店、一九七六年）などは、詩人的資質の成果（産物）といっていい。近代日本の美術が明治後半から大正にかけて確立していく過程で、いかに「ラファエル前派」の刺戟が大きなものであったかを語っている。穿った言い方をすれば、視覚芸術が言語表現の域を超えて浸透する感性の役割について、岡田さんはずいぶん早くに着目していたということである。

喉の大手術をした直後、青山の蕎麦屋で岡田さんは詩人・西脇順三郎の人となりについて話してくれたことがあった。終始、術後の喉をかばいながら抵抗の少ないソバとかウドンのようなものがいいのだといって啜《すす》っていた姿を覚えている。

――『鞄に入れた本の話』（みすず書房、二〇一〇年）収録

注　著作集の編纂は、御預けとなっているが、吉増剛造・稲川方人監修で『岡田隆彦詩集成』（響文社、二〇二〇年）が出版された。一三六一ページに及ぶ大冊である。

浜田剛爾氏を悼む

浜田剛爾氏（一九四四―二〇一六）はしばらく病を養っていたようだったので案じていたが、六月九日に亡くなったと聞いて、わたしは妙に落ち着かない気持ちでいる。彼との思い出を語ってここに哀悼の意を表したい。

浜田氏は日本のパフォーマンス・アート界の先駆者の一人であった――と書くのは、いまでは知る人ぞ知る存在となっているからだが、二〇一三年秋、その活動の一端を記録写真・動画などで再現し、彼の影響下にあった人たちのパフォーマンス（ライブ）や有志の講演・講座などによる「浜田剛爾展」（東京パフォーミングアーツ協議会）が開催されて、ようやく再評価の機運が高まり始めて、わたしも期待をしていたところだった。

＊

浜田氏の活動は一九七二年ベルリンでの「嘆きの壁」のパフォーマンスをかわきりに、そのあと二〇〇〇年前後まで約三〇年間に及んでいる。その多くはドイツ、カナダ、オーストラリアなど世界各地でのソロ活動を中心にしているが、同時に表現ジャンルを異にしたさまざまなアーティストとの実験的なコラボレーションを組織して新しい課題の発見にも情熱を燃やしている。

こうした一所にとどまることのない彼の活動を要約すると、大きな物語＝ロマンを背負って、パフォーマンス・アートの世界を颯爽と駆け抜けた男とでも形容したいが、そのもっとも象徴的な例として、わたしは八三年にオーストラリアの砂漠で行った「橋と橇《そり》」（橇を引いたパフォーマンス）をあげたいと思う。

パフォーマンスという一回性の表現を、彼が思索の運動と見事にむすびつけたものとなっている。まさに巨大な物語＝ロマンを生きた浜田剛爾がそこにいるといってもいい。原住民・アボリジニへの共感とともに、自身が橇の上でアイヌのユーカラを口ずさんだという話などを聞くと、彼の構想の根にある思想が、壮大な弧を描いて郷里青森の風土をそこに呼び寄せているようにも想像できる。

＊

振りかえってみると、浜田剛爾は一人のアーティストであったことはたしかだが、わたしのなかではむしろ文化・芸術の創造者であり、その仕掛け人ともいえる存在だった。

八八年の青函博を記念して開催された「現代野外彫刻展」（合浦公園他）、さらには九四年の「あおもり野外彫刻展」（青森県立図書館、近代文学館）あるいは九九年の「あおもり野外彫刻展」（青森県立保健大学）などすべて彼がコーディネートしたプロジェクトである。わたしはいずれにも選考委員としてかかわったが、彼の采配にはそのつど感心させられた。頻繁に会うようになったのは、彼が国際芸術センター青森の館長（二〇〇一―一一年）としての任務にあったときである。

いつ会っても静かなたたずまいのなかに、木喰のような笑みを浮かべて懐かしそうに語りかける人であった。座談会やシンポジウムなどでは現代美術の動向をわかりやすく分析してみせたが、辺境の事例をあげて解説するときには、みずからの身体を熱くする詩魂のさそいに抗しきれないようすでもあった。少数民族への思いのつよい人であった。

――「東奥日報」二〇一六・八・二〇

＊

「多くの実感的な芸術行為が、作品という形式をとるなかで、次第に美の体系のなかに組み込まれてゆくのに対して、パフォーマンスという方法は、いつも生きた状態を示すだけで消えてゆく。それだけに、体制化されない発表形式」なのだと語ったのは山口勝弘氏である（「消える芸術／パフォーマンス」『メディア時代の天神祭』所収、美術出版社、一九九二年）。

こうした観点に立てば、浜田剛爾氏の本領は、やはりパフォーマンス・アーティストとしての活動にあったと称していい。ところが後半生は彫刻展などのコーディネートや国際芸術センター青森の館長としての仕事が主になっている。したがって、彼の本領においての出会いではなく、わたしが彼に親近感をいだくようになったのは、一九八八年の青函博を記念して開催された「現代野外彫刻展」のとき以後のことである。

その後、事あるごとに青森に出かけて浜田氏の人間味溢れる接待を受けることになったが、顧みるとやはりはじめての夜のことが目に浮かんでくる。高橋竹山の弟子（名前は忘れたが女性の人）が営んでいた「ジンダコ（陣太鼓）」とかいう食事処での津軽三味線の弾き語りを聞かされ、その語りがまた、何とも形容しがたいことばの訛りとユーモアがあって、わたしのなかのローカリティーをつよく刺激したのである。青森の夜の奥深さをあらためて知らされ、数軒ハシゴをして深夜にホテルにもどった。このときのことは、わたしのなかでいまでも眼に焼きついている思い出の一夜となっている。

――この一夜の景色を描くと、そこには面倒見のいい浜田氏がいて、傍らには首領格の中原佑介氏や酔うにつけ独特の意見を吐く田中幸人氏がいる。のちに数回つづく展覧会（とくに野外彫刻展）の審査などで、わたしを含めたこの四人は、なぜか一緒にいることが多く、そのつど夜の案内を任されるのは浜田氏であった。自身はイケルほうではなかったけれども、いつも巧みな話術で、その場の雰囲気を和やかなものにしていたのを想い出す。

＊

無為の酒席も多くあったが、それはともかく国際芸術センターを開設するに当たって、建築家を選ぶコンペのときの浜田氏の八面六臂の活躍も忘れがたい。おそらく二、三泊を要したのではなかったかと記憶しているが、プロポーザル方式の、結構、厄介な条件のなかでの選考会となった。結果的には安藤忠雄氏に決まったのだが、建築を専門にする側の選考委員と、われわれ美術の側の選考委員との見解の相違が生じて、いささか難航気味となったのである。しかし、この互いの見方や考え方の違いを粘り強く調整して、みごとに落としどころへ着地させてくれたのは浜田氏であった。

浜田氏は、こうしてできた国際芸術センターを足場に、新しい地域文化の創造にかかわるかたちの模索のなかで、単なる展覧会施設としてではなく、インターナショナルな意味でのアーティスト・イン・レジデンスやワークショップを可能にする多彩なプログラムを構想し実現したのである。六年目のときのインタビュー（『東奥日報』二〇〇七・七・二二）で次のような話をしている。

「ここには昨年まで二二カ国、六六人のアーティストがやって来て作品をつくり、発表しました。二二もの国から来れば、いろんな概念、面白いアイディアがある。私だって『こりゃなんだ』と見たことがないものもある。でも、分らないってことは、魅力のほうが大きい。謎解きのような面白さだね」と。

しかし、浜田氏が二〇一一年に館長を辞して以降は、この施設の機構も替わってしまった。彼が当初いだいていた構想の持続もなく、活動においても尻すぼみの感じである。先のインタビューのなかで浜田氏は「人間がいる美術館にしたい」と語っていた。いろいろと考えさせられることばである。

山岸信郎──「モノ派」の発祥、他

ずいぶん前のことだから記憶も曖昧だが、それでも山岸信郎氏（一九二九―二〇〇八）のことは書いておきたい。すでに亡くなって一〇年が過ぎた。ところが「モノ派」のことなどが話題にのぼったりすると、決まってこの山岸氏のことが想い出される。そして氏の田村画廊にあつまった画家や彫刻家だけではなく、いろんな仕事をもった人たちの顔が走馬灯のごとくに思い浮かび、すべてそれは氏との縁が導いた人間的なかかわりであった。

私が頻繁に氏と接したのは、一九七〇年前後の数年間である。

だからここでは、私が神奈川県立近代美術館（鎌倉）に勤めて五、六年経った頃の僅かな期間に限った話にしたい。

＊

ある晴れた日の鎌倉駅のプラットホームでのことであった。

私は鎌倉に住んでいた。前日、私の家に泊まった岩崎清氏（その頃、美術出版社の編集者）と一緒に、東京へ出る用事があって、昼頃、鎌倉駅に着いて話しながらプラットホームを歩いていると、向こうから一人の男が岩崎氏に声をかけている。たがいにヤーヤーと久しぶりに逢ったようすであった。目の大きな痩せた男で、白いパリッとしたシャツを着ている。私とは初対面だったので、岩崎氏の紹介で「よろしく」ということになった。

吉田克朗氏である。これから東京へ行くのだという。

三人で車中の世間話となったのだが、そのうち吉田氏が「個展をしたいのでこれから画廊を探しに行く――」といったのである。私は、どこかアテがあるのかと訊くと、どこというアテもないという返事だった。「それじゃ、秋山画廊の真向いに、こんど田村画廊というのができたので、そこの山岸信郎という人を訪ねたらいいよ」といって、私は名刺を渡したのである。山岸氏は画廊を開設したばかりで、「誰か、生きのいい若手の作家がいたら、頼むよ」と、私はいわれていたからであった。

吉田氏のことは何にも知らなかった。しかし、私が山岸氏を紹介したのは「頼むよ」と数日前にいわれたばかりであったのと、岩崎氏の友人なら大丈夫だろう、と直感したからである。岩崎氏が、吉田氏は斎藤義重さんの教え子の一人で、その頃、ゲバラの肖像写真をシルクスクリーンで刷ったものを買わされたよ――などと私に話してくれたのはだいぶ経ってからのことである。

次の日の夕方、吉田氏から美術館に「決めてきましたよ。どうも――」というお礼の電話があった。訊くと、田村画廊は、自分の意図した展示のできる、まさにピタコンのスペースです――と興奮のようすであった。

この話は一九六九年初夏のことである。

＊

山岸氏の遺稿集がある。『田村画廊ノート―あるアホの一生』(竹内精美堂、二〇一三年)となっているが、生前、本人の書いたものを一冊にまとめることになったら(あまり気が向かなかったようだが)、この「あるアホの一生」にしてくれ、といっていたのでつけられたタイトルなのだという(竹内博「後記」)。いかにもテレ屋の山岸氏らしい話である。一事が万事この調子で表に立つことを好まなかった。

山岸氏が、はじめて自分の画廊をもつことになった「田村画廊」の開設当初のことを、次のように書いている。

「日本橋の江戸通りに知人の開業医が居り、引っ越すからその跡で画廊でもやってみてくれないか、古ビルの一画だが親の代から譲り受けたものであり、医院の後が麻雀クラブやパチンコ屋では沽券にかかわるから」というのが理由であった。

六九年二月、一〇坪ばかりの木造二階建一階に間口二間の見るからに貧しそうな画廊がオープンした。名称は大家になる田村医師の名を冠した。資金が乏しかったので壁面は石綿のボード板を張りめぐらした。防火対策のためと吹聴したが、一センチ厚さのベニヤより安価だったからである。ライト・グレイを望んだが、その板の数が揃わずダーク・グリーンの壁になり、全体は海の底のような雰囲気になった。

奥に一坪ばかりの事務室を設け中間に壁を立て、二室にしてあった。

その頃、近くの秋山画廊やときわ画廊へ、私はよく足をはこんでいた。山岸氏と知り合ったのは、一時期、氏が秋山画廊に籍を置いていたときのことで、互いに何となく気が合い、個展の作家と一緒に近くの飲み屋(「六文銭」といったかな)で作家の愚痴を聞いていた山岸氏のことをおぼえている。

開廊して早々のことである。山岸氏の旧知の画家上原二郎氏の個展があった。その初日だったと思う。ちょっとした妖しいストリップまがいのパフォーマンスが催されたことがあった。

運わるくわたしはその場には居合わせなかったけれども、山岸氏は「イヤハヤ、びっくりしたよ」といって笑っていたが、まんざらでもない、といったあんばいでもあった。

そんな山岸氏は、どちらかというと戦後の実存主義的な気分のなかにあった前衛芸術に共感を抱くところがあり、「びっくりしたよ」といった画家もそうした傾向の一人である。

当時のそうした傾向のアートを「病みあがりの前衛芸術」と称したのは、針生一郎氏ではなかったかと思うが、山岸氏の視界にも、そうした性格をもついささか斜に構えた作家たちへの共感が、しばらくつづいていたのである。氏の戦後体験の反映を、そこにみるといってもいいかもしれない。

＊

山岸氏は一九二九年仙台市に生まれ、一九五一年に東北大学医学部に入るが、中退し、学習院大学仏文科に入っている。それから哲学科へ転科し、六〇年安保闘争にコミットした時期をはさんで、一九六三年に大学院を修了したときには、すでに三四歳になっていた。

その後、氏が田村画廊を開設するまで、どんなことをしていたのか、私は詳しくは知らない。記憶しているのは大学院時代のアルバイトですこしのあいだ銀座の五番館画廊にいて、そこで「旧新人画会展」というのをやったことがあったとか、またダンス教師をしていたことがあったとか、交友範囲のなかには吉本隆明氏や織田達朗氏などがいたとか──その程度のことである。私は氏のダンスの現場を一度だけ目撃したことがあったが、じつに見事なものであった。織田氏とは親しくつきあったが、山岸氏のそうした人生の一面について訊く機会をもたなかった。

ところが、こんど『あいだ』誌による連載特集＝《追悼・山岸信郎》に目を通す機会があった。その連載の（一六）で尾嶋義之氏が「『万年青年』を生きた─山岸信郎を回想する」を書いていて、それまで知らなかった山岸氏のさまざまな側面を教えられ、腑に落ちるところがあったのである（注）。

ちょっと屈折した山岸氏の姿が、そこには活き活きと描かれている。本来なら引用し寄り道をしてみたい一文といってもいいが（話題が遠くへ逸れてしまいそうなので）、ここでは端折らざるを得ない。

とにかく山岸氏は、戦後日本社会の濃い影のなかに身を潜め、自他の判別のつかない闇を生きた――などといったら、氏に「それはないよ」と一蹴されるに決まっているが――経験の皺をのばす猶予をもてなかった世代に属していた。

要するに新しく画廊を開設したというのは、自分で決着をつけるための、ある種のきっかけを手探って、ボチボチ這い出したかったのではないかと考えられる。私に「生きのいい若手の作家――」といったのは、いささか自分でも息苦しさを感じていたからであろうし、新しい風を求める気分になっていたのではないかと思われる。

＊

いずれにせよ時代の空気というのか、画廊がはたした役割というのか、しばらくすると田村画廊は「モノ派」の発祥という伝説を付される場として知られることとなる。

けれども、当の山岸氏自身は、そうした方向への舵取りをしたというより、そこで個展をした作家たちの作品の傾向が時代の空気を先取り（形成し）、山岸氏はそれに応えたといったほうがいい。

その先陣を切ったのが、まさに私が紹介した吉田克朗氏の最初の個展（一九六九年七月一四―二〇日）である。展示したのは角材を天井にロープで吊るし、その垂れ下がったロープに石を巻き付けて床に置いた《Cut off(hung)》という作品であった。

そして三ヶ月後には菅木志雄展、年明け（一九七〇年一月）早々には李禹煥展とつづくのである。すでに記した『あいだ』誌の《〈追悼・山岸信郎〉八》に、菅氏は「山岸さんは、」と題した一文を寄せて、こんなふうに書いている。

「山岸さんは、実践的な思想家であった。お金がなくても、意欲のある人間を助けるのにやぶさかではなかった。彼自身、見る限り経済的に豊かでもなく、金のかせぎかたもへただったと思われるが、〝苦しい〟といいながらどうにかなるといった姿勢をくずすことはなかった。わたしは、その姿を見て、なぜか安心したものである。悩みながらも、やるべきことはやっている感じだった」と。

事実、菅氏がパラフィンやコンクリートや砂利などを画廊にはこび込んで「まるで工事現場のような展示」をしても、山岸氏は「これがわかる奴など、いまの時点じゃ、いないな」と、「なんの気負いもなくいうのであった」と書いている。

私などは「わからない奴」の一人であった。

だから「モノをただ置いているだけか――」などと、言わなくてもいいことを冷やかし半分に言ったりして、傍にいた李禹煥氏に大目玉を食らったのをおぼえている。

「モノ派」の理論的な支柱を建てることになる李氏や菅氏の試みの背後に、どんな思想（哲学）を潜ませているのかを山岸氏はニヤニヤして見ていたが、いわゆる「モノ派」のことそれ自体については、どこまで解していたのかは不明である。

けれども斯《か》く斯《か》く然々《しかじか》である――と、訳知りな発言をする人ではなかっただけに、もっと深いところを見定めていたような気もしなくはない。

＊

ある美術批評家が、ちらっと田村画廊を覗いてから「ダルマ」以下のウィスキーは飲まない――などといって出ていった。

奥の事務所の机上には廉価な「レッド」が乗っかっていたからだろうが、夕方ちかくに気の向いた友人がくると、山岸氏はよく酒の用意をした。

その夜は、こっそり山岸氏を訪ねてやってくるのだ——といっていたオバちゃんが顔を出した。長谷川泰子さんである。頬被りして日焼けした顔を隠し、ちょっと背をかがめているが、骨格はしっかりしていて鋭い眼光と鼻筋のとおった顔は、かつて「グレタ・ガルボに似た女性」に選ばれたことのある人の面影を残していた。偶々、その場に居合わせた私もお相伴にあずかるところとなった。

山岸氏がすすめる水割りの「レッド」を口にされて、オバちゃんは頬を紅くしながら歯切れのいい、ちょっと鼻にかかるような話し方で山岸氏を相手に世間話をした。

しばらくして「どなたかしら？」と私を見ていうので山岸氏が私を紹介し、私の職場が鎌倉にあるということを知って、オバちゃんは、むかしのことでも想いだされたようすであった。

一頻り鎌倉のことを話題にして懐かしんでいた。しかし「息子が迎えにきてくれるの——」といって、小一時間くらい坐してから一緒に帰られた。

この頃のことを長谷川泰子『中原中也との愛　ゆきてかえらぬ』（村上護編、角川文庫）のなかで、次のように語っている。

「私はビル管理人として、一二年半働きました。朝早く目覚めると屋上に出て、鳩に餌をやりました。一人ぼっちの生活でしたが、鳩を毎朝ながめながら、来し方六〇年の思い出を反芻したり、中原の詩を読んで涙を流すこともありました。中原のことは大岡昇平さんが長年書きつづけられたから、読者がふえていったのでしょうが、そこに書かれた私は、男から男に移った女のように描かれていて、どうも気まりが悪いんです。確かに中原と同棲し、小林と一緒に住んだりで、気ままに過ごしましたが、正直いうと気ままに過ごさざるを得なかったというのが私の人生でした。だけど中原ファンは大岡さんの著作だけを読んで、詰問してくることもあるのです。ときには熱烈なファンによって脅かされることもありました。」

これはオバちゃんが、ビル管理人（画廊から数分のところ）をしていた最後の頃ではなかったかと思う。私はその後、二度、ご一緒した。ところが、中原中也にぞっこんだった詩人・美術評論家の岡田隆彦氏が盛んに再会したがっているのをつたえてもオバちゃんは「いやなのよ」とはぐらかしていた。

＊

その後、オバちゃんは横浜市保土ヶ谷に住み、画廊には顔を出さなくなったようだが、いちど私の職場に寄ってくれたことがあった。

ドアから室内を覗くように「サカイちゃん！」という。

オバちゃんである。どうしたのかを訊ねると、

「小林さんのところへ行ってきて、これから熱海なの――」。

世界救世教の信者のオバちゃんは「ご奉仕よ」ともいった。しばらく外で立ち話となったが、別れ際に、

「昇平さんにいつもめんどうをみてもらっているの――」と漏らした。私はふと山岸信郎氏のことが脳裡を過った。

――「美術ペン」二〇一八・冬号

注　『あいだ』（発行＝『あいだ』の会）の連載特集＝《追悼・山岸信郎》一五五号（二〇〇八年一二月）―一七三号（二〇一〇年六月）まで、じつに二三回におよんでいる。時期を異にしていても山岸氏と縁をもった方々の、心温まるエピソードを交えた話と、人間・山岸信郎の仕事と思想が熱く語られている。

石原悦郎氏を偲んで

昨年の二月二七日、写真専門の画廊「ツァイト・フォト・サロン」の石原悦郎氏（一九四一―二〇一六）が亡くなった。三月四日、梅窓院（南青山）でも通夜に行けなかったので、わたしは弔電を打って氏を悼むことにした。

顧みると氏とは同じ齢である。たがいに熱い思いを抱きながら、美術界の片隅で語り合った若い日のことを断片的に思い浮かべたが、そういえば、最後にお会いしたとき、すでに病気がかなり進んでいたのか、中国からの土産ものだといって、小さな缶入りのお茶を渡され、いそいそと上の階へ姿を消した。いつもの快活で多弁な石原氏ではなく、ちょっと苦しそうなようすであった。

ふたたび「ツァイト・フォト・サロン」に足を運んだのは、「友人作家が集う―石原悦郎追悼展」の記事（「朝日新聞」九月一三日）を見る少し前のことであった。氏とかかわった一二〇人を超す作家の作品が紹介された追悼展（三部構成）となっていた。わたしは所用でその一部を見ただけで二部と三部は行けなかったが、やはり画廊に本人のいないのは寂しく、何とも形容し難い、ある種の虚しさを消すことができなかった。

＊

ちょうどわたしの仕事場のひっこしがあったので、本の整理だけではなく、いい機会だと思って、長年、ダンボールに詰め込んで押し入れにあった書簡類の整理をした。思いがけない人からの手紙や親しく交わった友人からの手紙など、予想以上に、その数は多かったが、そのなかに石原氏からのものは四通入っていた。

最初の手紙はパリからである。切手のところが破れているので消印がないけれども、文面によると「有島生馬展のレセプションでお目にかかった数日后 Tokio を出発し、晩秋の様な寒い気候の Paris におります―」とはじまり、便箋四枚にぎっしり書かれている。「有島生馬展」のレセプションが一九七七（昭和五二）年九月九日（金）であったから、石原氏の手紙は九月中旬としていい。が、このときは短期日で帰国し、二通目は自宅（北区赤羽西一丁目一七―一〇）から宛てられていて、日付は九月三〇日になっている。

折から赤軍によるハイジャックの予告がパリの警察当局に入っていて、ドゴール空港の検査は半端なものではなかったという。ちょっと昂奮気味のあと、手紙にはウジェーヌ・アジェの一三〇点の「完全な状態」の写真を買うことができたこと。アンリ・カルティエ＝ブレッソンの日本での独占契約を事実上、獲得することに成功したことなど書かれている。ブレッソンには無理をいって日本では珍しい作品を手焼きしてもらったのでご覧にいれますよ、とあり（金丸重嶺先生もはじめて見たといっています―とカッコに入れて）、さらにロベール・ドアノーの作品も数点獲得し、ブレッソンが、石原氏を信用するきっかけをつくったピエール・ボナールの《湯浴みする女性》の取得（交渉）もうまくいきました―とある。有島展の際に撮ったスナップができているのでおくりますが、「写真を買い入れるのは得意でも撮影は苦手です―」などと書いている。

とにかく、先のことばかりを気にしている石原氏の一面を如実に示す手紙となっている。

＊

今年になって、わたしは粟生田弓という若い人の書いた『写真をアートにした男』（小学館）を贈られた。副題に「石原悦郎とツァイト・フォト・サロン」とある。メディア論を学んで（東大）、在学中にツァイト・フォト・サロンのスタッフとなり、その後、独立してファッション・ブランドを立ち上げ、いまに至っている―と著者紹介に記されている。この本を書くために四年間にわたって石原氏にインタビューをしたというだけあって、内容の濃いものとなっている。

上に紹介した、わたし宛の石原氏からの手紙も、この本によって明らかになったことがすくなくなく、また石原氏の人と仕事について多くの資料で補足しながら読みやすい文章でつづっている。じつに個性的であった人間・石原悦郎の、あの、ウィットに富んだ会話がつたわってくるような感じで、わたしは好感をもって読み終えた。

著者の「あとがきにかえて」に、こう書いている。「彼は、人間に備わった芸術という大いなる力を、写真行為の中に見いだすべきだと、写真を芸術のひとつのジャンルとして扱うべきだという発想で活動を続けてきました。その功績はいくら書いたところで十分なものではないと思います」と。

同じ思いのわたしが、彼と最初にした仕事は「フォトグラフ・ド・ラ・ベルエポック─花のパリの写真家たち1842─1968─」展（神奈川県立近代美術館、一九八二年九月二一日─一〇月二四日）であった。三三作家の作品、計二六七点の構成で「パリ」にかかわった写真家のアジェ、マン・レイ、ケルテスに加えて、石原氏が相当の覚悟をもって買い集めたブラッサイやブレッソンだけではなく、写真の黎明期のナダールやカルジャ、あるいは六〇年代の写真家まで含まれていた。石原氏の写真美術館構想の、これは前哨戦のようなものであったが、よほどこのときの写真展が嬉しかったとみえて、「あれが、ぼくのスタートだった」と、あとあとまで語っていた。

ところが、念願かなって一九八五年秋に開設した「つくば写真館」は目論みが外れて頓挫してしまう。だが、一九八九年の「世界デザイン博覧会」（名古屋市）のホワイト・ミュージアムでの「オリエンタリズムの絵画と写真」展の成功によって蘇ったのにはびっくりした。全体の監修は阿部良雄氏で、わたしは石原氏の求めに応じて、この展覧会のカタログに「遅れてきたロマン主義者─ギュスターヴ・ドレ」の一文を草した（拙著『奇妙な画家たちの肖像』〈形文社、一九九一年〉に収録)。

とにかく元気をとりもどした石原氏はもちまえの行動力をつぎつぎに発揮した。そうした一面を示しているのが、三番目の絵葉書である。

「オリエンタリズム探検隊を組織して目下Istanbulです・・・Turkish-BathでNude(前代未聞)の撮影を強行しました」などと書いている。

こうした極端な浮沈劇=荒波のなかを、彼はがむしゃらに泳ぎ切ったといっていい。妻の和子さんを連れて、しばしば神奈川県立近代美術館にわたしを訪ねてきたのは、その直後だったように覚えている。

*

最後の手紙は二〇一五年七月一二日の消印をもち、「ZEIT-FOTOSALON」のレターヘッドの用箋を使っている。

「先日ご多忙の処、Ｚｅｉｔの音楽会(ＳＰ Ｃａ１９３０)をお聴き下さって有難う。貴兄のこの様な感想はその装置を開発した私にとって大変嬉しい事でした。ワグナーの素晴らしい演奏もあったのですが、それは又次の機会に!…」と書いてある。

画廊に石原氏を訪ねた際に、是非にと案内された倉庫のようなところで、氏が集めた膨大な量のＳＰレコードのなかから選って聴かせてくれた演奏会であった。わたしのほかに同席したのは、友人の水沢勉氏だけであったから、じつに贅沢な時間でもあった。

ワグナーを聴くときは、無性に石原悦郎氏に会いたくなるのではないかと思っている。

——「森の道」第一六号(二〇一七年冬)

和多利志津子──秘めたパトス

和多利志津子さん（一九三〇─二〇一二）との最初の出会いがいつか、はっきりとしないが、昔のギャルリー・ワタリができてすぐくらいのときかもしれない。だいぶ経って若林奮氏の「ノート・鮭の尾鰭」と題した版画集を主にした個展（一九七八年）があったのを鮮明に憶えています。

しかし印象的であったのは、何と言ってもバックミンスター・フラーの講演会（一九八二年）でしょうね。東野芳明氏と偶然に会っていっしょに聴きにいきました。八七歳のフラーが、まるでライフル銃のようにしゃべりまくっていました。途中から東野氏が通訳を援けて講演は熱気に包まれて終わったあと、和多利さんの計らいで何人かで食事となりましたが、そのあとのことはおぼえていません。

アメリカにもどったフラーは、一年も経たないで亡くなってしまったのではないかしら。フラーと和多利さんとの縁結びをしたのは、和多利さんと昵懇《じっこん》だったナム・ジュン・パイク氏だったようですね。

フラーと日本との、この貴重なかかわりは、のちの「バックミンスター・フラー展」（神奈川県立近代美術館他、二〇〇一年）にまでつながっていることを記憶にとどめておきたい。それはまた和多利さんに恵まれたフラーとの出会いの一齣でもあったのです。

＊

わたしの記憶のなかの和多利さんは、いつもそれとない佇まいで、遠くのほうから物事のようすを眺めている人でした。

ところが、そんな和多利さんがとても行動的な人だとあらためて知ったのは、すでに述べたフラー展を日本で開催するということになったときでした。これはチューリッヒのデザイン美術館が世界巡回を企画し、その企画の日本でのまとめ役の任にあったわたしは、一番、頼りにしたのが和多利さんでした。いくどかお叱りも受けましたが、とにかく和多利さんの裡に秘めた情熱というのでしょうか、すごい人だなあと思いました。展覧会が空中分解するようなら自分一人でもやりぬく——といった決意を示していて、まさにパトスの人そのものでしたね。

*

ごく最近の話ですが、フラー・スタジオで働き、かつてフラーが来日したときも同行した建築家のショージ・サダオ氏が、新著『バックミンスター・フラー&イサム・ノグチ=ベスト・オブ・フレンズ』(英文)を出版し、その出版記念会の日(二〇一二・四・二〇)に草月会館でわたしは和多利さんにお会いした。

ショージ・サダオ氏と鈴木エドワード氏の対談のあと親睦会となり、槇文彦氏のあいさつを受けて、磯崎新氏がノグチの人と芸術の一端をユーモアをまじえて延々と話し、その話が終るのを待って、どうした加減か、たまたま隣に居合わせたわたしに、和多利さんが耳打ちするように、「磯崎さんとお会いできるかしら——」という。大勢がつめかけていたので、小柄な彼女は、ちょっと足元があやしい、それでわたしに相談されたのではないかと思い、多くの人を掻き分けるようにして磯崎氏の前に出て、何とも言えない笑みを浮かべた。

互いのあいさつが済むと、磯崎氏は大手術をした話を手振り身振りでことこまかに説明された。しかし、その姿はあまりに颯爽としていた。別れてから和多利さんは、わたしに磯崎さんが元気なのを知って「呆れたわね——」と言って、愛くるしい目をパチクリさせていたが、いつのまにか姿を消していた。

＊

秋になって、和多利さんの八〇歳の誕生日だったと思いますが、ワタリウム美術館の二二周年記念の宴（二〇一二・九・一三）が開催された。

そのときに頂戴した『夢みる美術館計画』を拾い読みしていたら、フラーの孫娘アレクサンドラのことを書いた章があった。和多利さんが以前に著した『アイ ラブ アート』（日本放送出版協会、一九八九年）から引いた箇所ですが、一九八七年にアレクサンドラが来日し、その際、和多利さんのところに立ち寄り、翌年には、和多利さんがニューヨークにアレクサンドラを訪ねたことが書かれていて、二人は冬の日の土曜日の午後、イタリアン・コーヒーの店でフラーの思い出に耽った——という話となっていました。

わたしはこうした元手のかかった丁寧ないきさつのなかに、和多利さんの「フラー展」が温められていたのを知らされました。

——『アートの組曲　追悼・和多利志津子』（ワタリウム美術館、二〇一三年）

付記　バックミンスター・フラー講演会（一九八二・一〇・二五）の「挨拶」（東野芳明）とフラー自身の「講演録」（邦訳）を和多利志津子は『美学、考』第二号（ワタリウム美術館、二〇〇一・九）に収録し「後記・八七歳の生き方」を付しています。

遅れた訪問―伊藤文吉

夏の猛暑のなかを所用で新潟へ出かけ、ついでに関係者と同行して、新潟県随一の大地主、伊藤文吉邸を訪ねました。現在そこは「北方文化博物館」となっています。

とにかく想像をはるかに超えた大きさなのにはびっくり。戦後の農地改革や財閥解体などで一変させられるはずの伊藤家が、どうしてこのような見事な佇まいのままに残されたのか不思議な思いを抱きながら館内を巡りました。

実は八代目当主（代々、文吉を襲名）が、すでに亡くなっていたということをわたしは今年に入って知ったようなわけなのです。

伊藤文吉（一九二七―二〇一六）という人は、年に一度開かれる全国美術館会議の総会でお会いするのが、習いとなっていました。半世紀以上も前からですので、わたしの印象もマチマチですが、そう古くない時期にお会いした際「いつか僕のところへ訪ねてきてほしい」といわれたまま、その機会を延ばし延ばしにしておりました。

伊藤さんは、根っからの博物館人のような印象が強かったために、それ以外の活動については全く知りませんでした。訪ねた際に売店で見つけた伊藤さんの回想録『わが思い出は錆びず』（新潟日報事業社、二〇〇八年）を手にすることになって、さまざまな伊藤さんの事歴を知ることになりました。

この話もそのひとつ――。北方文化博物館を去る前に、巨木の脇にレリーフで埋め込まれた記念碑を目にしました。伊藤さんのその回想録によると、七代目（つまり父）とGHQのラルフ・E・ライト中尉の肖像でした。どうしてライト中尉が、そのような形で顕彰されているかというと、実は父と同じペンシルベニア大学の先輩、後輩の関係であったということが判明し、そのことが、豪農の敷地と建物の保存につながったのだといわれています。運命的な出逢いが描いた予期せぬ結果で、もし、ライト中尉がGHQの戦後処理で新潟に滞在していなかったとしたら、きっと今日の北方文化博物館は、存在していなかったと思います。

＊

伊藤文吉さんといえば、私の世代の印象なので、かなり古い記憶に属しますが、その頃の往年の館長たち（ブリヂストン美術館、MOA美術館、根津美術館、大原美術館など）の個性的な振る舞いや、懐の広い寛容性などに接して、私などのようにトンがった若い学芸員などは、どれだけ世間知の分け前を頂いたかしれない。いずれも鬼籍に入られて、時代の美術館（博物館）の様相も変わりました（注）。

全国美術館会議もその頃までは、親睦の場であり、人間的な交流の機会といってよかったのですが、最近は私のような旧来の美術館人には、理解の届きにくい不思議に優れた組織になってしまいました。これは、けっして苦情でも、愚痴でもなく、世のなかの趨勢なのでしょうね。

とにかく、伊藤さんのことを思い出すと妙に元気になったような気がします。大邸宅の庭にあったパワーストーン（庭師が設営した）に接したのと、べらぼうに大きな御仏壇があって、私の友人蓑豊氏（兵庫県立美術館長）と一緒に、お線香をあげることができたせいかもしれない。

そうそう、旅人を癒す古風なお風呂場がしつらえてあったのを思い出しました。入口に古木の扁額がかかっていて、そこに、「雲遊」（書家・江川蒼竹）と書かれていたのを私はメモしました。また、どこかに伊藤さんの字と言葉ではないかと思われる刷り物がかけられていたのを覚えています。それは、「気後れが、出遅れになる」という文句だったので、出典は知りませんが、私は、まさに伊藤さん自身を語っているなあと思いました。

——「NEWS LETTER」第一〇五号（世田谷美術館、二〇一七年一〇月）

注　わたしが神奈川県立近代美術館に職を得た一九六四年、藤田慎一郎氏は大原美術館の館長に就任し、一九九八年相談役に退くまで館長をつとめ、一九九一年から九七年までは、全国美術館会議会長の任にあった。その間、わたしは何かと気遣っていただいたが、そのことをあらためて思い出したのは、ほかでもなく、一種の自伝的回想としての『大原美術館と私』（山陽新聞社、二〇〇〇年）を再読したときであった。人との出会いはもとより蒐集にまつわるエピソードなどを、いずれも当事者でありながら淡々と語っている。大原総一郎氏に「美術館の番人になれ」——といわれて、一九四七（昭和二二）年に藤田さんは大原美術館に入ったのだそうである。

遠い日の記憶──中田健介

所用で新潟市を訪ね、何年かぶりに新潟と縁故をもつ人たちの名にふれた。なかでも「新潟日報」の事業部にいた中田健介氏の消息が気になったので、その筋の年配者に質したら、数年前に亡くなられたと言われ、わたしは長い無沙汰を詫びた。

彼は佐渡の両津港の老舗吉田旅館の子息であったが、わたしは〝新聞屋〟（彼の言い方）に、どうしてなったのかといったことや、いわゆる暮らしのこまごまを知らないままだった。ずいぶん前に互いの知り合い数人と佐渡に一泊して厄介になったことを思い出すが、酔うと、ちょっと太り気味の腹を突き出し、カンツォーネを歌い、早稲田大学で野坂昭如氏といっしょだった──と、妙に懐かしそうな顔をした。

わが師土方定一ともウマが合い、よく「実家のカアチャンがつくってくれたイカの塩辛です」といって、それを手土産に美術館にやってきた。夜遅くまで展覧会の企画の相談を館長室でしていたのを覚えているが、一九七〇年代はじめのことであるから、もう四〇年以上も前の話である。

土方が亡くなった一九八〇年以後は、いささか彼の足は遠のいたけれども、ときどき近況を知らせる達筆の手紙をくれたりしていた。

あの高橋由一の《鮭》の鮭が、いったいどこ産のものか──という、わたしのアホらしい興味（拙著『覚書幕末・明治の美術』岩波現代文庫）にも、本気で付き合い、鮭漁で知られる村上にまで行って、現地調査までしてくれた。

村上では鮭の〝首つり〟を嫌い、逆さに吊して燻製にするのは、鮭の頭の苦みの脂が身体にまわるのを避けるためなのだという。したがって、由一の絵の鮭は、村上産のものとは違う―などと書いてきたし、また高橋由一がその油絵の画技を〝鍵穴〟から覗いて学んだというチャールズ・ワーグマンが、横浜居留地で発行した諷刺マンガ誌『ジャパン・パンチ』の創刊号の一冊が、県内で発見されたという記事を送ってくれたのも彼であった。

＊

装いを新たに開館した新潟日報メディアシップの五階にある「にいがた文化の記憶館」にきてみて、わたしは中田氏のことを思わないわけにはいかなかった。

会場の「日本の文化に寄与した新潟人 相関図」のパネルを見て、こうした豊かで多彩な文化人を数多く生んだ新潟の文化風土の片隅に、氏のような存在もあって、時とともに遠のく〝文化記憶〟を、いささかでも留め置く支えとなっていたのだろうと想像したからである。

一巡したあと、隣のギャラリーでは「漂泊の詩人―井上井月」展が開催され、また移設された會津八一記念館では「芝蘭の交わり―八一と麻青の書画―」展が開催されていた。

とくに俳人・井月のことについては、前々から気になっていたのでこうした機会にめぐりあう出会いの不思議に、わたしは何か因縁めいたものすら感じた。

井上井月（一八二二―一八八七）というのは、正岡子規の少々前の時代の人である。もともとは長岡藩の武家か刀研ぎ師の家の出ではないかといわれているが、この漂泊の俳人の存在を世間に気づかせてくれたのは、芥川龍之介の自殺の折の診察にあたった医師の下島勲という人である。芥川が書斎にかけていた「澄江堂」の扁額は、じつはこの下島（空谷山人）の揮毫になるものであった――ということなど、井月のことをふくめて、わたしは数年前にたまたま手にし、興奮しながら読んだ『井月句集』（岩波文庫）の「解説」（復本一郎）で知ったのである。

下手の横好きで、ここ十数年の間わたしは結構の数の俳句にかかわる本（文庫や新書の類ではあるが）を読んできた。藤沢周平の『一茶』（文春文庫）の〝三笠付け〟の興行の話などに、一茶の本領を覗いたり、あの〝ビート・ジェネレーション〟の詩の紹介者である諏訪優の『芥川龍之介の俳句を歩く』（踏青社、一九八六年）を鞄に入れて、諏訪氏を囲んだ連句の仲間たちと、かつて温泉旅館ですごした朝の白々しさを、いまでもひょんなときに思い出すことがある――といったあんばいである。

俳句のほんらいとは、いささか懸け離れた、どちらかというと、わたしは野次馬的な俳句ファンに過ぎない。

俳句のもつ形式は、ある種の〝決断〟を示唆する〝潔さ〟と結びつくが、どうもわたしには、この〝潔さ〟というのが、胡散臭く思えてしようがない。ちょっと捨て鉢な人生を生きてみたがる人の、どこか傾斜した感情の流れを暗示させるところがあるけれども、まあ、井月に憧れを抱いたという山頭火など、ごくわずかな例外を除けば、わたしを含めて多くの人は、果ての見えない人生の〝謎〟の前で、不格好な体裁を装っているのがふつうではないだろうか。

*

だから、たまには日常の外へと意識が向かうのをよろこぶのである。ちょっとした日帰りの旅行でも、その間の予期せぬ出会いには心が動くものだ。

井月展の会場で、わたしは井月がメシと酒代にした軸や短冊の墨書をながめて、ほんとうに身についた教養というのは、相手のなかに入ってみなくては判らないものだと思った。その意味では、わたしもまだまだ井月を云々できる立場にないことはたしかだが、そうであっても（だから余計に）、この俳人の漂泊に誘われたい、という思いに駆られるものがあるのかもしれない。

いずれにせよ、ゆっくりと尋ねる時間もなかったので、わたしの記憶は断片的なものだが、映画「ほかいびと―伊那の井月―」が会場のテレビで放映されていて、主演の井月役（田中泯）が田圃の畦に転がり落ちて行く姿があった。資料展示では、つげ義春のマンガ集『無能の人』（日本文芸社、一九八八年）があった。意外な気がしなかったのは、どうしてなのか自分でも判らないが、これもまた出会いの不思議と言えないことはない。

急ぎ足で、會津八一記念館を見ることになったが、そこでも一茶の『六番日記』（一八〇四年一月～一八〇八年五月）として知られる和紙を綴じた小型の日記があった。その綴目のところが繰りぬかれているので、尋ねると、墨壺入れなのだという。帰路の読書にと思って、学芸員に頼んで覗きケースに入っていた會津八一の「俳人一茶の生涯」（初出『早稲田文学』一九一一年一月号）を（全集のほうから）コピーしてもらったが、帰りがけに、ふと井月が長岡の出であるのを思い出して、そういえば長岡ペンクラブ会長をしていた羽賀善蔵さんは？と尋ねると、すでに亡くなっているが、この題字は、羽賀さんの〝字〟ですよ――と、小冊子を渡された。それは長岡市の大吟醸「栃倉酒造」（株）が出しているマンガによる『〝越の井月〟物語』（高瀬斉）であった。

羽賀氏が「越後タイムス」の新年号（一九八五年）に書いた中村彝の《洲崎義郎の肖像》についての一文には、わたしとの出会いの一齣が記されていたが、はじめて会ったのは、長岡市に松岡譲の記念碑ができた、その除幕式のときであった。折から小沢書店の長谷川郁夫氏が『評伝松岡譲』（関口安義著）を出版した関係で、慣れない講演をすることになり、わたしも同道することになったのだが、仕切りはすべて新潟日報の事業部ということであった。何から何まで中田氏のお世話になったのは言うまでもない。

――「森の道」第一八号（二〇一七年夏）

宛てのない手紙──中原悌二郎賞と齋藤傑

こう暑くては何にもする気が起こらない。暇つぶしと言うとヘンですが、横になって肩の凝らない本ばかりを読んで過ごしています。

わたしは一冊一冊を丁寧に読むというタチではない。ふだんから四、五冊をまとめて読む。だから推理小説のような筋の混み入った内容のものは用心しなくては、何度でも同じところ読むハメになる。ベッド脇のライトの下には、鉛筆（４Ｂ）と付箋と小型の雑記帖をいつも置いているので、まるで雑文書きのための一種の戦闘態勢──といった按配かもしれない。が、どうもこの夏の蒸し暑さには参りまして、ただボケーッとしているだけですが、そうはいっても、本誌の締め切り日は疾うに過ぎて、少々、焦っています。

一文を草するために（けして仕方なくということではなく）、このたびは、あなた宛ての手紙にするという口実を設けました。ご勘弁を──。

＊

洗濯屋がきたので、たまにはネクタイでも綺麗にしておこうと思ってとりだしたなかに、優佳良織の洒落たネクタイが一本まじっていた。旭川の居酒屋「大舟」の主人馬場昭氏（一九三六─二〇〇八）が亡くなったあと、奥さんが形見分けです──と、わざわざ送ってくれたものです。

急に懐かしくなり、書架を探して「馬場昭の歩んだ道」というサブタイトルを付した『三・六街〈大舟〉あり』（道新マイブック、二〇〇九年）を再読することになった。

顧みると、わたしは馬場さんといちども相対でじっくり話をしたということがなかった。それなのに、妙に懐かしい感じを抱かせるところがあるのは、人柄でしょうかね。お会いするのは決まって「大舟」でしたが、中原悌二郎賞の選考委員会や贈呈式、あるいは何か別の機会であっても、夕食をかねた懇親会ということになると、決まって足をはこんだものです。

店内には、これはと思ったお客さんたちや知人たちの写真が壁だけでなしに天井にまでもぎっしりと飾られていた。馬場さんが直々に教えてくれたのは、わたしの師匠土方（定一）が数人で石狩鍋を囲んでいるところとか、三浦綾子・光世夫妻の睦まじいようすを撮った写真などでした。

危なっかしい階段を上って、お祭りの空気がそのまま入り込んだような部屋で、壁を背もたれにして土地の酒やビールを手に乾杯し、歓談の一刻を過しました。いけるタチでないわたしは、もっぱら新鮮な魚貝類に箸をつけていましたが、その箸袋にはまた驚いた。地名の由来にはじまり旭川を特徴づける事象を物知り手帖ふうに細かい字で満載してあったからです。

＊

中原悌二郎賞については、ちょうど二〇一一年に創設四〇周年を迎えて出された記念図録（『中原悌二郎賞40年のあゆみ』中原悌二郎記念旭川市彫刻美術館刊）に、わたしは簡単な経緯と選考委員会のちょっとした想い出を記したので、ここでは創設の頃のことを若干と馬場さんをめぐる話に絞りたい。

鎌倉の県立近代美術館で、わたしの上司となる匠秀夫氏の渾身の力作『中原悌二郎・その生涯と芸術』が、「旭川叢書」の第二巻として出版されたのは一九六八年ことでした。当時の旭川市長・五十嵐広三氏に、この彫刻家の顕彰を促したのは、ほかでもなく匠さんで、市長は市の開基八〇周年記念行事の一つとして、一九七〇年に「中原悌二郎賞」を創設することになったというのが発端です。ちょうど三年前に「高村光太郎賞」が、一〇回をもって終わったこともあって、その継続の役割をはたすという意味を含んでいたようです。「高村光太郎賞」(箱根彫刻の森美術館)と関係をもっていた土方定一の助言があってのことではないかと想像しますが、いずれにせよ、これが「彫刻のあるまち旭川」を全国に知らしめる活動へと展開することになったのです。

煎じ詰めると、これは五十嵐市長の鶴の一声に、勇気ある市民たちが結束して起こした事業と言ってもいいでしょう。そのなかの幾人かを、ちょっと懐想ふうにつづってみると、よく鎌倉にいらした松井恒幸氏が想い浮かびます。郷土博物館にあってアイヌのことをよく知った人で、「日本のガラス展—古代から現代まで」(一九七四年)を開催したときには、展示品をみずから携えて美術館にもってきてくれました。匠さんと旭川のご自宅に伺って、自慢の手製の果実酒を飲ませてもらいましたが、歯がまるっきりないんで怪訝に見ていたわたしに「歯茎で噛むんだ」と豪快に笑っていたのを覚えています。

馬場さんは、この松井さんの弟分のようなかかわりだったのでしょうね。『三・六街〈大舟〉あり』によると、二人して第一回の選考委員であった平櫛田中や石井鶴三宅を訪問した件などは、いまでは想像できないような仄々とした温かい人間味がつたわってきます。

「馬場昭は中原賞創設のとき、すべての費用を自分で負担して、松井恒幸について回っている。先生方へのお土産も馬場さんが用意したはずだ」と語っているのは、当時、旭川市彫刻美術館館長であった齋藤傑氏(一九四〇—二〇一九)です。

*

中原悌二郎賞もこんど四一回目を迎えて、この一〇月六日には贈呈式（旭川市大雪クリスタルホール）が行われることになっています。あらためて月日の経つのが早くて驚いています。

今日は、ふとあなた宛てに、これまでの経緯やその過程で出会った思い出深い人たちのことを書きましたが、あなたが送ってくれた同人誌（『ぺたぬぅ』）の「中原悌二郎賞創設のことなど」を参照しました（注）。

何事によらず主役は話題にのぼるが、脇役というのはなかなかのぼらない。わたしは（自分でいぅのもヘンなものですが）、主役よりはどちらかというと脇役のほうを好むタチです。そんな性分なので、どういうわけか相手もそれを察して、差し障りのない時と場を計らって、年に一、二度お会いすることになるというのが、齋藤傑さんとわたしの出会いでしたね。

この一月一七日に亡くなられて、そのあと「齋藤傑さんを送る会」（二月一六日）の報せを受け、わたしは弔慰をつたえるつもりでいたのですが、延び延びになってしまいました。宛てのない手紙——としましたが、ここころから哀悼の意を表したい。

——『美術ペン』一五七号（二〇一九・夏）

注　中原悌二郎記念旭川市彫刻美術館は、一九九四年（平成六）六月一日に開館。その開館の準備と開館後の七年間を、同館の館長としてつとめた齋藤傑氏の著書『旭川市彫刻美術館日誌』（二〇〇七年、私家版）があることを附記しておきたい。

桜井武氏を偲んで

熊本市現代美術館長の桜井武氏（一九四四年生れ）が、六月四日に亡くなった。その二ヵ月ほど前、美連協の会議でお会いしたのが最後となった。

顧みると、桜井氏と知り合ったのは、氏がイギリスの国際文化交流機関ブリティッシュ・カウンシルに勤務（一九七一—二〇〇七年）していた時期の最初の頃であるから長い付合いと言っていい。わたしがイギリス美術への興味と関心を持っているのを汲んで、その筋の関係者が来日すると、よく紹介してくれた。また誠実で温厚な人柄だったところから、わたしは展覧会の企画などの相談をすることもあって連絡すると、そういうときでも真剣に考えてくれて実現の策を講じるという仕事に熱心な人であった。

開館したばかりの東京都現代美術館の「アンソニー・カロ展」（一九九五年）では、建築家の安藤忠雄氏が展示を担当し、それまでにない規模の大がかりな展覧会となった。当初、開催も危ぶまれる事態もあったが、担当学芸員やイギリス側とのネットワークによって解決。破綻しないよう影で気遣った一人に桜井氏がいた。

とりわけ思い出深いのは、一九八三年秋にブリティッシュ・カウンシル（ロンドン）の招きで、現代イギリス美術を視察する「スタディ・ツアー」の一員として、氏と全行程をともに過ごした三週間であった。氏を加えて八名の日本からの招待者たちは、ロンドン訛りの「ジ・アイト」と称して、各地の美術館や画廊を訪ね、また多くのアーティストたちにも会い、そのつど興奮した。

桜井氏にとってもイギリス美術の懐の広さを味わう貴重な体験となったはずである。

なかでも濱田庄司とバーナード・リーチが登り窯を築いたセント・アイヴス行は、とりわけ刺激的で格別の想いに誘われるものがあった。日本を巡回した「セント・アイヴス展」（一九八九年）は、文字通り旅の成果の一つであった。

氏の仕事の上に反映された例としては「ターナー展」や「ヘンリー・ムーア展」（いずれも一九八六年）などが挙げられるが、こうした日英文化交流につくした業績で、氏は大英勲章ＭＢＡ（一九九一年）を授与されることになった。

主著の『英国美術の創造者たち』（形文社、二〇〇四年）は、桜井氏の感受の姿がどういうところにあったかを示す個別のエッセイを束ねたものであるが、イギリス美術への偏愛はもちろんのことだが、イギリスにおける風景庭園と現代美術との関連づけには傾聴にあたいするものがあり一九世紀初頭から今日までのイギリス美術史をたどれるようになっている。

芸術家が身を置いた「場所」との関係を掘り起し、いま話題とされている芸術家がいると、その理由を的確にとらえて書いている。とりわけ自然派のＡ・ゴールズワージについての論考は新鮮で魅力的である。

二〇〇八年に『ロンドンの美術館』（平凡社新書）を刊行し、そのあと熊本市現代美術館の館長に就き、現役のまま亡くなった。企画展に加えて演奏会などを通して広く市民と対話する美術館をこころざしていたようすは、いかにも氏のブリティッシュ・カウンシル時代の経験が場を移して生かされているように思えた。

会議の席でも大抵の場合、微笑を浮かべて、静かに聞き入っているが、発言を求められると、実に的確な意見が返ってくる。ヤーヤーと賑やかな夏の企画会議のときでも、余計なことは一切言わないし、淡々として、それでいながら実に気分のいい人であった。

こんなことになるのなら――もっと前に、漱石の『草枕』のモデルとなった熊本の山奥にある小天温泉の那古井の湯にでもつかって、氏とイギリス美術の話でもしておきたかったなあと思い、残念でならない。

――「美連協ニュース」一四三号（二〇一九・五）＋「美術評論家連盟会報」（二〇二〇）

IV

菅沼貞三──学問の肌合い

菅沼貞三先生の授業は、田中豊蔵の分厚い『日本美術の研究』をテキストに使ったアカデミックなものであった。

わたしはほとんど出たことがなかった。懶惰な学生であったことは事実であるが、どこかに大学の虚しさを、そうしたアカデミックな授業に感じていたこともまちがいではない。気に入らない授業をサボって、アルバイトや余計なあそびごとに忙しくしていたし、そうでないときでも三田の山より下界（ジャン荘）にいるほうが多かったはずである。

また美術史を専攻したことに対する後悔もあった。何を措いてもモノ（美術作品）を見なくてははじまらない。そしてモノには人間的なかかわりが潜んでいる。わたしはモノとのそうしたかかわりが面倒なので「美学」ならいいだろうと思って、そちらの方面に興味を向けたが、語学も駄目、頭もよくないと知って、ちょっと自暴自棄な学生となっていた。

そんなわけだから日本美術史どころか、菅沼先生が真面目に語る話にもろくすっぽ耳を傾けようとはしなかった。出雲大社だの伊勢神宮の建築様式がどうこうと、いかにも教科書風な話をしていたのは、少々だけが記憶にのこしているけれども、授業には出なかったので学生時代の先生との思い出はまったくない。

＊

ずっとあとになって、菅沼さんが「鎌倉近代美術館」に土方館長を訪ねてきたことがあった──ということを、わたしは土方さんから聞いた。

菅沼さんの来意は、ある研究論文のことであった。それは一時期、大和文華館研究員嘱託をされていた菅沼さんが、同館の『大和文華』誌に発表された研究論文のようであった。詳細は忘れたが、土方さんは、こんなことをいっていたのだけは憶えている。

――菅沼さんは、その論文に載せた図版のまちがいのことをやたらに気にされているようすだったので、可笑しかったよ――と。

それ以上のことは話さなかった。厳密な研究をもって知られた菅沼さんのことであるから、そうした見落としには耐えられなかったのであろうと思った。

数年後に、こんどはわたしを目当てに菅沼さんが美術館にいらしたことがあった。新しくできる常葉美術館(静岡県)に菅沼さんが関与することになったので、わたしにも訊きたいことがある、ということであった。

喫茶室で小一時間ほど雑談をした。菅沼夫人と誰か忘れたが、わたしと同学の後輩が案内役としてきていたような気がする。もしかしたら英文学者となった相島倫嘉氏だったかもしれないが、いずれにせよ(振りかえってみると)、このときが菅沼さんと相対で言葉をかわした最初なのではないかと思う。

その頃、土方さんの発案で『神奈川県美術風土記』(有隣堂)を数冊出していたので、その意義とか、新設の美術館を切り盛りされるといっても小人数での出発となるし、大学附設の美術館なので研究的性格をもつものにされたらどうでしょうか――といったような、わたしとしては柄にもないことを進言したのではないかと思う。

ずいぶん経ってから渡辺崋山の歿後一五〇年を記念して『定本・渡辺崋山』全三巻(郷土出版社、一九九一年)が常葉美術館の編集で刊行された。その一切を取り仕切り、崋山研究の基礎資料を集大成したのが、ほかならぬ晩年の菅沼さんであったのを知った。

ともあれ菅沼さんは、帰りがけに、こんなことをいわれた。

以前、土方館長のところを訪ねたときに、こんなことをいわれましてね――。

「間違いを指摘されたら、そのときになって、ああ、よく気づかれましたね、と丁寧にお詫びをすればいいのです」

と。自分は、この言葉にどれだけ気が楽になったか知れない、といわれたのである。

＊

そういえば、あの碩学森銑三が、どこかの駅のプラットホームで、偶然に菅沼さんに逢った話を書き入れた随想があったのを思いだした。ところが、その出典がどうしても判らない。

しかたがないので森田誠吾著『明治人ものがたり』（岩波新書）のなかの「学歴のない学歴」の章に、森銑三が詳しく取り上げられているのを思いだして再読したりしたが、モトの文章が判らないのだから目を皿にして読んだところで埒もない。ただ人間・森銑三の反骨精神が如実で、じつにおもしろく、この人を久しくアテにしてきたわたしとしては、大いに満足するものがあったというオマケがついた。

まあ、それはそれとして、二人の関係は半端なものでなかった証拠というか、どんな縁でむすばれていたのか、ということに、わたしの関心は向いた。

菅沼貞三ということになると、専門の渡辺崋山にかかわるのは必然である。久しく『崋山の研究』（木耳社、一九六九年／旧版、座右宝刊行会、一九四六年）は、その方面の定本となっていたので、森銑三の『渡辺崋山』（中公文庫）に目を通したが、どこにも菅沼貞三の名はない。そうなると『森銑三著作集』全一二巻の第六巻「渡辺崋山・

松本奎堂」をひもとくほかにしかたがない。

もとより、こうした研究を主軸にした著作に、先のような話があるわけがないのは承知の上だが、二人のかかわりは、昭和一〇年代にはじまっているのを知った。

菅沼さんが集中的に『美術研究』（東京国立文化財研究所の前身である帝国美術院附属美術研究所の機関誌）に発表された崋山研究を、何と森銑三が、みずからの崋山論をすすめるにあたって、いかに大切なよりどころとされていたか、ということを示す箇所が、いくつもあった。このことは、わたしにとって一つの発見であったと同時に、仕事の性格を異にしていても互いに認め合う度量の深さに、大いに学ぶものがあるのを教えられた。

とくに秘蔵されている崋山の作品を、菅沼さんが『美術研究』をとおしてはじめて図版で紹介された話や、美術研究所に預かっていた谷文晁の写生帖を、菅沼さんの好意で森銑三が一覧し得たよろこびを語っているところなどに、わたしは二人の人間的な行き来を想像した。

しかし、ここは崋山研究の場ではない。したがって二人の研究に踏み込むことはしないが、どこか学問の肌合いとして互いに似たところがあるのを感じたのは事実である。

——「846」第六号（二〇一八年）加筆

八代修次──講義の着物を脱いで

岸田劉生の『図画教育論』(改造社、一九二五年)について、いつか試論のようなものを書こうと思って、一、三資料を当たっているときに、封筒にはいった八代修次先生の「草土社の図画教育」の抜き刷り(『哲学』三田哲学会、一九八九年六月)が出てきた。棒線や書き込みがあるので確かにわたしは目を通している。しかし、そのなかに折り畳まれて入っていた手紙にいたっては(勿論、拝読して礼状を出しているはずだが)、いただいてあったということすら覚えていなかった。

抜き刷りの論考は、劉生および草土社の画家たちと慶應幼稚舎との関係や雑誌『智慧』について、細かく調べて書かれていた。劉生と図画教育についての論考では、これまで慶應幼稚舎とのかかわりは、まったくといっていいほど取り上げられてこなかった。いかにも八代先生の、ちょっと遠慮しがちな姿勢が、こうした地味なテーマを選ばせたのだろうと思うが、その点では貴重な論考といっていい。

劉生が娘麗子を介して感受し、経験するところとなった一種、生身の図画教育という意味に解するならば、これは劉生の人と芸術を考察する上でけして無視のできない大切なテーマとなる──そこらあたりのことを充分に察知しての八代先生の論考なのだ。

わたしなどは大向こうを唸らせるつもりで、地に足の着かない怪しげな文章をしばしば書いてきたが、大仰なことを嫌う先生の、あのチクリ、チクリと刺してくる痛くて痒《かゆ》いような質問に、われとわが身の丈に気づかされるということも一再ならずあったから、よく解るのである。

手紙のほうは、先生と岸田劉生とのかかわりの一端を示すと同時に、いかに親しくこの画家とつきあってきたかを想像させる内容となっている。丁寧な字で書かれた手紙である。あらためて読んでいて、年月の経つ早さに驚いている。二〇年近くも前のことかと思うと、いささか賞味期限の切れたような印象は拭えないけれども、そのときには気づかないことが、ずっとあとになって妙に真実味をもって迫る、そんなことを暗々裏におしえているような手紙でもある。

どちらかというと八代先生は、些細なことには動じない大人の風格をもった人であった。変な言い方かもしれないが、小出楢重の油絵のもっているマチエールのような、一種の堅牢さというか、粘り腰の印象をあたえる受身の人であった。だから、大人ではあるけれども呵呵大笑したり、ひけらかしたりする性質の人ではなかった。落ち着きのないわたしが、先生と不思議に馬が合ったのは、すべからく先生が上手に間をとってくれたからであろうと思うが、あらためて先生からの手紙を拝読しているうちに、わたしは先生というよりは、同学の先輩の絶妙な手引きによって導かれていたのだ——ということに気づいた。ほんとうならわたしのほうからもっと素直に訊ねていかなくてはいけなかったのだ。残念ながら、わたしはその勇気に欠けていたのである。

＊

それは八代先生が奥様とご一緒に出席された渋谷東急プラザの「イル・グアッテロ」（二〇〇三年一二月七日）での、最後の「八好会」でのことであった。

亡くなられたのが、年の明けた三月二三日のことであるから相当に無理を押して顔を出してくれたのに違いない（近藤幸夫氏や宮原洋子さんの、温かいこころ配りによる誘いと、先生がこのとき「八好会」の以前の写真＝アルバムを持参されていたのを思い出すが——）。どことなく表情にも冴えたところがなく、いくぶんか弱られたようすの先生であった。

ところが、話のきっかけが何であったか思いださないが、ボソリと低い声で「劉生の写実は生温い」（あるいは「怪しいものだ」）と言われたのである。一瞬、わが耳を疑った。傍らにいた斉藤泰嘉氏（筑波大学教授）がびっくりして、その真意をはかりかねるといいたげなようすで、わたしのほうを窺ったのを覚えている。

その日の先生と、そこに居合わせた面々は、それぞれの思いを抱いて短い話を交わした。わたしは何をどう話したのか記憶にないが、とにかく、先生の「劉生の写実は――」と言われた言葉だけが脳裏に貼りついて離れなかった。

帰路の電車のなかでも考えた。おそらく、日本の近代美術の土壌に生まれた一個の天才に、先生は正当な評価をあたえたい、という思いから「劉生の写実は――」と口にされたのに違いない。

わたしは思った。自分がそこに生きる（あるいはそこにしか自己を見出し難い）という閉じた系のなかに、岸田劉生をみるという視点には賛成しかねるものを感じての発言であったはずである――と。

レンブラントに一家言をもつ先生が、《ヤン・シックスの肖像》についてのエッセイ（「レンブラントとの出会い」『本のひろば』一九七六年二月号）の最後で、こんなことを述べていた。

「この肖像画に出会うことによって、私ははじめて、野心や金銭はもちろん時代の趣味や注文者への思わくを捨て去った、言わば世俗を超越した作品こそ近代的な芸術作品であると考えるようになった。私は近代的という言葉で、近代の絵画の傾向を指すつもりはない。近代にあっても、少しも近代的でない作品が山ほどあるからである」と。

＊

先生からの手紙を読んで、いろんなことを想い出した。

しかし、ここでは「劉生の写実は――」と言い残された先生の言葉の真意について忖度するのは止したい。そのかわり、この手紙に即して、若干の人事や物事とのかかわりを注記のかたちで書いておくことにする。まるまるここに、私宛ての先生の手紙（一九九八年一月二〇日付）を引用するのは、本来ならば許しを請わなくてはいけないが、まあ、こうした小冊子なので、先生も大目にみてくれるだろうと思う。

「前略　日々ご精励の様子なによりと存じます。先日は『摘録　劉生日記』をお送りいただき有難うございました。劉生の一番充実した大正後半をとりあげておられて改めて再読しております。卒業論文で書いたとき余り資料がなかったのですが、今日では溢れるばかりになりました。慶応を引くときに、せめて劉生と慶応の関係でもまとめておこうと思い、同封のような論文を書きました。さし上げたかどうか忘れましたので恥しいながらお送りいたします。

幼稚舎における雑誌の発行と児童画教育の時季（期）がまさしく大正一二年ころからで、この辺は岩波の全集で何度もみたのでなつかしく拝見しております。劉生研究家は油絵についてはくわしいのですが、図画教育論は無視という人が多く、そういう点でも自由画論争は「内なる美」と結びついて重要と思いました。幼稚舎の雑誌『智慧』の装幀は草土社の連中がしたのですが、殆ど展覧会で見かけません。写真は全部撮りまして竹橋の近美（富山さんの時代）と慶応に寄贈してあります。

終戦直後のこともあって、椿、木村、長与、斎藤などという人たちが気安く会ってくれて劉生のことをいろいろと話してくれたのを懐かしく思い出しました。いずれお目にかかる機会もあるかと思いますが、とりあえず御礼まで　草々」

わたしの編集（および「解説」）で出した『摘録 劉生日記』（岩波文庫）の発行日は、一九九八年一月一六日のことである。献本してすぐに先生からこの手紙を受け取ったということになる。劉生の日記は一九二〇（大正九）年の元旦から書き始めて、その後一日も欠かすことなく、一九二五（大正一四）年七月九日までつづけられている。『岸田劉生全集』（岩波書店、一九七九―八〇年）全十巻のうち日記は第五巻から第十巻までを占めている。

「摘録」のかたちで文庫にしたので、年代的なバランスを取り内容の偏りもできるだけ少なくしたいという編集方針から、落としたくない箇所も目をつぶって落とすということが生じてしまった。だから坪内祐三氏が言うように「摘録だからオリジナル版と比べて無駄な面白さは少し欠けてしまった」のは残念だが、永井荷風の『断腸亭日乗』のナンバーワンはゆるぎないとしても、「近代日本の面白日記ベスト5」を選べば、劉生の日記が入ってくるのは間違いない（「文庫本を狙え！」『週刊文春』一九九八年二月二六日）――というほど確かに興味深い日記であることは請合いである。

劉生の「角力好き」は有名だったが、その箇所の一部を落としたり、吉田秀和氏の私信でおしえられた大正時代の力士の呼び名の読み間違い（この話は拙著『劉生の周辺』こつう豆本〈一三四〉日本古書通信、一九九九年）など、この本には小さな訂正はいくつかあることはあるけれども、文庫本という利点から多くの読者を期待したのだが、売れ行きのほうは今一歩という感じである。

それはともかく、日記を通読していて、いろんなことをおしえられたのも事実だ。人間の人事・物事の複雑な絡み合いや、全く予期していなかった人との出会いなどさまざまである。

八代先生が卒論に「劉生を書いた」という話は聞いていたが、その動機や中身についてはまったく知らないとしても、わたしは先生のなかに「劉生を書く」ということに、かなり熱い思いがあったのではないかと想像する。「定年で引くときに、せめて劉生と慶応の関係でもまとめておこうと思い――」とあるけれども（これはわたしの憶測だが）、八代先生のなかにちょっとした守屋謙二先生に対しての遠慮があったのではないかと思う。『摘録 劉生日記』の「大正一年一月六日」の項に、以下のような一節がある。

「――麗子肖像にかかる。二時頃か、約束で、守屋謙二という慶応の文科にいて画をやっている人が画を持て来訪、ちょっと面白い処あり。待ってもらって麗子をかく。仕事おえた処へ武者夫妻と椿前後して来る」と。

勿論、ドイツ留学以前の守屋謙二である。まあ、劉生の弟子の一人でしてね――と言われても、なるほどそうでしたか、と納得する以外にない事実が、ここには歴然としてある。八代先生だって、何かと守屋先生から劉生とのかかわりについては聞かされていたに違いない。しかし、だからと言って、このことが遠慮された理由というのではない。そうではなく、やがて美術史を講じる立場の一人として、どのように自分の研究テーマを定めるかという課題の前で、八代先生は何かと思慮されることがあったのではないか、とわたしは想像する。

それは「美術を語る」という『塾友』（一九五四年）の座談会での守屋先生の発言だが、八代先生は大いに納得するものがあったということを書いている。

「美術の研究には博物館と大学の二つがあるということを話され、鑑定や文献調査、新発見などは博物館の仕事であって、大学は『既にでき上がった資料を学問的に整理することがどうしても主になると思う。本当に生々しい現実の作品というよりは、一歩退いて全般の歴史的な概観のうちにこれを位置づけるということをやる』と述べられ、『ヴェルフリンは大学の方の典型的な美術史家だと私は考えております』と云っておられる。わたくしは、先生がこの方針を在職中、貫抜かれたと思っているし、またわたくしども心に留めておくべきことであると思っている」と（『画布』特別号、一九六九年七月）。

「劉生の写実は──」の発言も、わたしのように美術館に身を置く人間には、いささかでも恣意の混じった意見は言えるが、しかし、それでは「学問」にはならないのだ、と先生は言いたかったのではないかと思うが、どうだろう。

亡くなる直前の先生から、心のこもった私家版の贈り物が届けられた。『わがパリ50年』である。その「あとがき」に「長年、美術史の講義をしていたので、どうかすると衒学的長広舌になるので、これだけは避けるようにして、出来るだけ素直にその時々の自分の気持を書き留めたつもりである」とある。

わたしはどちらかというと講義の着物を脱いだ先生とおつきあいしてきた。しかし、最後の「八好会」で、ひょいと、その着物を着てみせた先生の姿を覗きみたような気がした。

『846』第一号（二〇〇九年）

片影―海津忠雄

片影と題したのはほかでもない。海津さんとの縁は大学での師弟のかかわりにあったが、ここでは卒業後の話にとどめたい。だから断片的でつながりのない記憶をひろうことになるけれども、その一々が妙に忘れ難い印象を刻んでいるのは、おそらく海津さんが住まいを鎌倉に移したことによって生じた普段着の姿を映すからではないだろうか。予期せぬ出会いがほとんどであったが、そこに派生した片影をスケッチしてみると、やはり出会いのきっかけは、わたしの職場にあった、ということがわかる。

わたしが勤めの場を神奈川県立近代美術館（通称「鎌倉近代美術館」）にもつことになったのは一九六四年六月のことである。

紅葉にはちょっと早い秋だったと記憶している。開催されていた「戦後の現代日本美術展」を見にきたといって、海津さんが、ひょっこり訪ねてきたのである。職について数か月後のことだったので慣れない対応をしたのではないかと思うが、「展覧会を見にきたのでキミにも会っておこうと思ってね」といって、数分立ち話をしたくらいで帰られた。

ところが学芸課の先輩の一人が、「羨ましいな、おまえの先生は教え子を心配して来てくれたのだろう」といったのである。「それは、違いますよ」ともいえないので黙っていたのだが、第三者にはそんなふうに見えたのかもしれない。

とにかく、これが海津さんに会った鎌倉での最初の記憶である。

もとより海津さんの思いが、どこにあったのかは知らない。が、察するところがないわけではなかった。大学四年の夏休み明けだったと思う。海津さんから関西のある美術館（大和文華館の衛藤駿氏の要請）で学芸員の話があるけれども、「キミどうかね、行く気はないかね」といわれたことがあった。わたしは「そんな柄ではないので」と丁重にお断りした。わたしは学究の道を歩む勇気もなく、自分の殻を破れないでいた一人の懶惰な学生であった。

そのわたしが、こともあろうに酒豪ぞろいのモサが集う場として知られていた「鎌倉近代美術館」にいる、まして下戸ときていたのである、はたしてやっていけているのだろうか、そんな心配が海津さんのどこかにあっての訪問ではなかったか——。

いまとなってはすべてが推測の域を出ない。けれども気が向いたのでやって来てくれたのだろうと思う。

＊

ついでなので海津さんに会った最後の日についても書いておこう。それは海津さんが亡くなる前年（二〇〇八年）の、ちょっと肌寒い秋の夕方であった。このときの一齣をわたしはこんなふうに書いている。

「ある日の出会い。それは鎌倉駅に近い東急デパートの前であった。いかにも買い物の途中であるといったようすの美術史家・海津忠雄氏と鉢合わせをした。わたしの学生時代の恩師の一人である。久し振りのことだったので、ちょいと立ち話となった。わたしはこの原稿が書けないで困っていることを打ち明けた。するとしばらく考えられてから、氏はポンと手を打って、こういわれた。

『写真に関連するテーマはどうかナ——』と。わたしは幕末・明治初期の写真についての資料ならいささか手持ちがあるので可能かもしれない、いいアイディアを頂戴したと思った。だが、しばらくして気がついた。

その資料を弄り回している暇がない、と。」

この原稿というのは、慶應義塾大学アート・センターが出しているブックレットの〈福澤諭吉特集号〉のためのものであった。どう対処していいのか迷いながら書き、結局、写真のことは後日の課題にして、海津さんのヒントで福澤諭吉がサンフランシスコで写真屋の娘と一緒に撮ったという写真の話を『福翁自伝』から引いて締めくくりとしたのである（拙著『覚書幕末・明治の美術』岩波現代文庫に収録）。

再三にわたって、この号の編集を担当していた前田富士男氏（慶大教授）には助けを求めたのを思い出す。その都度、前田さんは「青木茂さんと、酒井さんには何としても書いてもらいたいのです」と後には引かない。かつて短い間ではあったが、鎌倉のあの「土方学校」で同じ釜の飯を食った仲間に義理をはたそうとするのであった。

翌年の三月に刊行されたその冊子には、何と海津さんの論考（「福澤諭吉の〈芸術〉の概念」）が収録されていた。お会いしたときには一言もいってなかったのである。びっくりしたのはいうまでもない。

論考に目を通した。わたしはやはり学者の書くものというのはスキを見せないものだなと思って感心した。ところが、よくよく考えてみると、買い物の途中——というのは、海津さんの奥さん（共子夫人）の加減がよくなくて入院されていた時期なのである。そんな情況のなかでの執筆と知って、わたしはこころを熱くしたのである。

＊

いま、海津さんからこれまでにいただいた著書や論文の抜き刷りなどを一揃え用意して机上にある。いずれも勤勉で厳密な学者肌の人の仕事をつよく印象づけるものばかりである。

ホルバイン、デューラー、レンブラントなどの人と作品の研究は、その長年の成果を単行本などの仕事にまとめているが、ブルクハルト、ヴェルフリンなどについては、その著作を丹念に読んで、これまでの美術史研究に再考を促す論考の抜き刷りとなっている。師と仰いだガントナーに思いを馳せ、また澤木四方吉に関しても彼の「都市論」に啓発されて比較文化論へと敷衍させたものがいくつかある。これはわたしにも語っていたが、海津さんの建築史学への興味などにもつながっている。さらにデューラーの犀の絵や一角獣についての図像学的研究があって大いにわたしは刺戟を受けたことがあった。おそらく、そうした研究の寄り道での産物なのだろうが、「小出楢重の《Nの家族》とホルバイン」には、どこかに森鷗外のいう「二本足の学者」を暗々裏に意識させるものが介入していて、そのことが『美術の都』（岩波文庫）の海津さんの注釈や「解説」にも反映されているのではないかと思った。

とにかく、海津さんという人は大声で語ることはなかったが、いつも独特のまなざしで美術史の一隅をながめていた人だったような気がする。そんな海津さんであったからお会いすると、よく「ねえ、こんなことを考えてみたのだが、どうかな」とか、「あの見方はおもしろいね」とかいって、ちょっとした話題の種を提供してくれたのかもしれない。

いずれにせよ、美術史学者としての海津さんのことを書くのが本来であろうが、どこから書いていいのか見当もつかない。またその余裕もないので以上のような略記で済ますことにした。

＊

予期せぬかたちで海津さんに出会った日のこと（あるいは思い出した日のこと）を話しているが、たまたま「海津忠雄　記念会」と題した紙片が出てきたのでそのことについてふれておきたい。

それは一周忌の埋骨を済ませた記念に、共子夫人が呼びかけた会であった。場所は鎌倉雪ノ下教会、日付は二〇一〇年七月二四日となっている。わたしの「日記」によると、その日は三五度ちかい異常な暑さであったと書いている。二つ折りの紙片には讃美歌の楽譜と一緒に海津さんの慶應義塾大学退任（一九九三年三月）後の文献目録もはさまれていた。一瞥しただけで研究に勤しんでいた海津さんのようすが察しられるものとなっている。

この「記念会」では「感話」として紺野敏文氏（慶大教授）が鑑真上人の受戒の話を訥々と語って、海津さんとの親交に関連づけた感動的な話をされた。その次にお鉢が回ったのはわたしである。まあ気分をほぐしてほしいという共子夫人の考えで役割を振られたのであろうが、わたしは海津さんの著書のなかから「ヨーロッパ建築探訪」の副題をもつ『まぼろしのロルシュ』（日本基督教団出版局、一九八三年）のことにふれた。そのなかの一篇に「ばらの花はシャガール風に」と題して書かれた海津さんのスイス留学時代の何とも微笑ましい話があったからである。

スイス中西部の古都フリブールでのことである。海津さんはそこの学生寮の一室からながめた美しい田園風景と、管理人のマダム・コンスタンティンの話（再三聞かされたとして）を紹介している。

それは画家の夫とパリに暮らしていた頃の話だというから相当前のことである。ロシアから裸一貫でやってきたマルク・シャガールにしばしば金を恵み、よくしてやった――というのである。それなのに、いまや成功をおさめた巨匠が、そんなことをすっかり忘れてしまって音沙汰もない、「恩知らずめ！」と、そのマダムが繰り返すのである。逃げ出すこともあったが、しかし、ときにはそのマダムが持ち出してきた絵はがきを見せられて、フリブールの「名所旧跡の講義」を受けたこともあった――と書いている。

しかし、このマダムの話にはシャガールが親交したアポリネールもピカソも出てこない。きっと彼女の知らないところで夫の画家コンスタンティンはつきあっていたのではないか——と勝手に想像して、海津さんは、こんなことを書き添えるのである。

「アポリネールに、ドイツの小さな都会であるヒルデスハイムを舞台にした、『ヒルデスハイムのばら』という美しい短編小説がある。私はこの悲恋物語がすきである。ヒルデスハイムはハノーファーの近くであるが、私がそこへ行ったのは、フリブール時代からちょうど一年たった一九七五年の夏であった。夏はドイツの最も美しい季節である。どこへ行っても花が咲いている。『ヒルデスハイムのばら』、それはアポリネールの作品では、イゼルという一八歳の美しい娘の渾名であるが、現実にも夏はヒルデスハイムにばらが咲き乱れる——」と。

そしてアポリネールとは関係はないけれどもと断って、市内のザンクト・ミヒャエル（聖ミカエル）教会の南側の庭に、ばらが咲きほこっているのを見て感激し、自ら撮った写真を載せている。

この「建築探訪」は、海津さんの仕事のなかでもっとも愉しく読める文章の一つだろうと思って紹介したのである。

実際にわたしが「記念会」で話したときには、話のまくらに「モナ・リザの眉毛」の章から引いた話を振ったのを記憶している。ルーブルの作品には眉毛がないけれどもプラド美術館の模写にあるのはなぜなのか——とか、いつの間にかレオナルド・ダ・ヴィンチの手稿から建築のほうに話が展開しているのは、海津さんが深く傾倒したヴェルフリンの名著『古典美術』が脳裏にあったからではないか——とか、こちこちの学者とは一味違う海津さんの着眼点のユニークさを語り、留学時代の思い出には、ある種のリリシズムが色濃く滲んでいるというような話をしたのではないかと思っている。

この本が出た二年ほど前のことである。海津さんは「キリスト教美術探究」の副題をもつ『愛の庭』（一九八一年）を同じ出版局から出している。そのときに書名をどうするかで迷った海津さんが、折り入って相談したいことがあるので――とわたしを呼び出したことがあった。小町通りの喫茶店「門」でおちあい、あれこれ意見を交わして書名を決めたのだが、このときのことは海津さんと相対で長話をした懐かしい思い出となっている。

その頃、「現代彫刻の世界」と副題をつけて、わたしは『彫刻の庭』（小沢書店、一九八二年）という本を上梓したのだが、この書名は（いま振り返ってみると）海津さんの『愛の庭』に借りたのではないかと思う。「愛」と「彫刻」との違いはともかく、拙著のほうは市販されて間のない頃、よく造園の本とまちがわれて、その方面からの講演や原稿の問い合わせがあった。

＊

話の順序は葬儀と一周忌の話とが逆になるけれども、葬儀の際にいただいたなかに『家族のための随筆／わがヨブ記』（私家版の冊子）が入っていた。「ヨブ記」のほうは措く。「随筆」のほうには「建築からの二つの回想」という一文がある。自身の研究が「建築的思考」によって絵画史をとらえてきたということや、芸術の主情的な面よりも「芸術の公共性」が気になっていたということなどを淡々と語っていて、海津さんの興味と関心の所在を明確に示すものとなっている。こんな件が「父と子」の一節にあった。

「父清作は私が適当な時期に退学して、家業を継ぐのを希望していても、私はその逆方向に突進していた。私が医学部に進学するつもりらしいという噂が立っていた。しかし、私の志望はそうではなかった。高校の図書室で美術書を読み、少年時代から画技の初歩は心得ていたので「美術」の授業は出席免除、ただ自習していれば及第であった。父の心中を察すれば気の毒になる。私の文学部志望に戸惑い、一夕、担任教師の自宅を訪れ、私の進路を相談した。結局、父は私の志望を適えてくれた。」

海津さんは一九三〇（昭和五）年、東京・神田に生れ、父の清作は鉄工所を営んでいた。その後、鉄工所は蒲田に移転。そこの小学校、中学校（勤労動員）を過ごして、一九四八（昭和二三）年に慶應義塾高等学校に入学し、そのまま大学、大学院を卒業して文学部の助手に採用されている。

戦争中には兵器、戦後は自動車部品や家電製品などを手がけていたという家庭環境が、海津さんのどことなく整然としたようすに、また理論的な見方や考え方に反映されているように、わたしには思えるのだがどうだろう。美術や文学への趣向も「ものづくり」の興味が蒔いた種だったように思うし、建築や都市に惹かれたという海津さんの美術史の領域も何となく遠くつながっているような気がする。ギリシア彫刻へのホレ込みようもそうしたあらわれの一つであろう。

いずれにせよ冊子の最後のページには、亡くなる三週間前に箱根で撮られた写真が載っている。杖をついているけれども別に痩せ衰えた感じの海津さんではない。

この冊子には「逝きし信仰の仲間を偲びて」と題した鎌倉雪ノ下教会の牧師（落合健仁）による海津さんの最期にふれた小文もはさまっていた。それによると海津さんが亡くなったのは、二〇〇九年七月二一日のことで冊子の発行日は一日前の二一日である。また海津さんが、同教会に転入会されたのは、一九七九年であったと書かれている。

海津さんが鎌倉に住むことになったのは一九七六年のことであるから毎日曜日に東京（信濃町教会）に通うのも大変だろうというので雪ノ下教会にしたのだろうと思う。暮らしの上での将来を考えての鎌倉住まいだったのだろうが、詳しい話は聞いていない。とにかく、わたしの勤め先の美術館へときどき顔を出してくれるようになったのは移転後のことである。

＊

桜の季節であった。ひょっこり海津さんと共子夫人が訪ねてきた。訊くと、鎌倉山に居をもったので、そこから源氏山を抜けて八幡宮までとにかく歩いてみようと思ってやってきた——ということであった。二人とも満足そうな表情をしていた。

その後、いくども顔を見せてくれた。わたしもいちどだけ鎌倉山の海津さんの自宅にお邪魔した。暮らしの佇まいが整然としていたのを記憶しているが、いま振り返ってみると、もっと頻繁に行き来があってもおかしくなかったのに、それが意外とサッパリしていたのは、こちらが訪ねる勇気がなかったからである。ちょっと残念に思っている。

まあ、たがいにそこまでの縁でしかなかったのだろうが、海津さんもわたしも職場の違いを意識していたわけではないけれども、たがいの持ち場（仕事の領域）に軽々には踏み込まないようにしていた。そんなところから一定の距離が生じていたのではないかと思う。

とにかく、振り返ってみると師弟の関係もさることながら年の離れた知友という感じであった。日常的に場を共有する立場であれば気にかかることもあったのだろうが、大学とは無縁なわたしであったから海津さんにとっては安心してつきあえたのかもしれない。

いずれにせよ海津さんは、鎌倉の「はぐれ学者」たちのあいだでも結構、知られる存在となっていった。正直な人柄のせいではないかと思う。たまに海津さんが妙にかしこまって「大学教授」を気取ることがあった。案の定、学のない振りをする「はぐれ学者」につかまって、「こまったね」といいながらわたしのところにやってきた。しかし、とても嬉しそうにしていて一々に対応しているようすでもあった。

すでに一線を退いて暇をもてあましていた爺さんたちである。

日曜日の夕方などに美術館にわたしを訪ねてきて、「これから教会帰りの海津クンをつかまえようと思ってね、一緒にどうかね」などと誘われることがあった。また博覧強記の爺さん（阿部一蔵氏）がいて、町で出くわすと浮世絵の絵具の成分や素粒子論まで延々としゃべくられるので、路地に身を隠したこともしばしばだったが、その人からは「せんだって海津先生をやっつけたよ！」と得意満面の顔をされたこともあった。

そうかと思うと、その風貌がどことなく似ているところから「かまくらのジャン・ギャバン」と呼ばれた爺さん（堀江乙雄氏）がいた。海津さんはずいぶんと慕われていた。怪しい神秘主義者のトマス・レイク・ハリスの研究をしていたようであったが、ときどきわたしのところへ『福澤手帖』（協会誌）が送られてきた。

アカデミックな学者に難問を突きつけて高笑いするというこまった爺さんたちであったが、じつに向学心旺盛な人たちでもあった。時が過ぎて、この手の人種がいなくなったのはちょっと寂しい気もするが、これもまた自然の成り行きというものなのだろう。

せんだって、寝床で『思想力』（キリスト教新聞、二〇〇八年）に収録されている海津さんの講演録「レンブラントの放蕩息子」を読んだ。すでに内容は『レンブラントの聖書』（慶應義塾大学出版会、二〇〇五年）に書かれているものかもしれないが、じつに簡にして要を得た話で感心した。

レンブラントの版画をとりあげて、そこに描かれている「劇場性」について、まるで版画を手にして、「ここがそうなのですよ」とこまかく指摘されたような感じであった。と同時に、思索の深さをじっと押し隠しているような海津さんの語り方に、わたしは感銘を覚え、もっと早くに、こうした海津さんの話に耳を傾け、尋ねもして、その学恩に預かるべきであったことを後悔した。

しかし、著述の上で自分のことを控え目にしか語らない海津さんの姿勢に、わたしはどういうわけかホルバインのことをかさねた。肖像画の名手でありながら自画像をほとんど残さず、また一通の手紙も一片の覚書も残さなかったというこの「沈黙の画家」のことを、海津さんはライフワークにしていた感があったからである。

ホルバインが素晴らしい仕事を遺し得た背後に、偉大な思想家エラスムスのような存在があったことは事実だが、鎌倉の「はぐれ学者」たちだって、それなりに海津さんの知的営為の一端（研究）を磨く砥石くらいの役目を果たしていたはずである。

＊

比較的早い時期の研究書である『ホルバイン』（岩崎美術社、一九七四年）の「あとがき」にこんな一節があった。

「言葉によって何も語らないということは、画家が創作された作品だけで勝負することであり、それだけに画家の生き方としては甘えも妥協もない、最高に厳しい道を選んだことになります。みずからこの道を選んだ芸術家を何と呼ぶべきでしょうか。われわれには『名人』という言葉があります。しかし、語感から言うと、これは画家の技倆の卓絶性を表現したとしても、ホルバインの人間性の厳しさ、苛烈さまで表現しうるとはおもえません。こういうタイプの芸術家はきっと日本人には例のない西欧特有のものでしょう。ですから私はいっそ、ラテン語の『ウィルトゥス（男らしさ）』のひびきを伝える『ヴィルテュオーゾ』というイタリア語を、そのまま使うことにしました。」

わたしはこの「ヴュルテュオーゾ」ということばがよく解せなかった。それでドイツ語のできる友人に電話で訊いた。そうしたら「ドイツの芸術家には得意気に使う人もいますよ」という返事である。迂闊に「ドイツ語のスペルは？」と訊いたら「いや、イタリア語です」といわれて恥をかいたが（それはともかく）、先の引用のうちで「日本人には例のない西欧特有のもの」という件には、いささか気になるところがあった。

しかし、いわゆる若書きの非をとらえてケチをつけてもしようがない。すでに海津さんはいないわけだし、労作の『ホルバインの生涯』（慶應義塾大学出版会、二〇〇七年）も手元にないので、そこらあたりの思索の変化を探ることができない。要するに少壮気鋭の美術史学者としての鋭い指摘をここに読むけれども、レンブラントの版画について訥々と語っている後年の海津さんをそこにみることは適わないということなのだ。まして「二本足の学者」としての興味と関心をやしなっていた海津さんではないか、どうして――とわたしは疑わしく思っただけなのであるが、妙にひっかかったところでもあったといっておきたいのである。

生意気な忠告が許されるなら、という仮定でのことだが、わたしは海津さんにこんなふうに進言したいと思ったのである。

「もしそうだとしても言い方は変えたほうがいい。なぜって、あの学のない振りをしていた鎌倉の爺さんたちが天上の人になっていて、待ち構えていますよ――」と。

余計な心配である。また妙にこういうものいいは空々しいけれども、想い出を記憶の断片として話すのは、そこに「時」と「場」の確認がなければ実がならないものなのだということでもある。「記憶というのは眠りを妨げられた長い夜に似ている――」といったのはグレアム・グリーンであった。

――『８４６』第四号（二〇一五年）加筆

あとがき

何かと懐かしさを感じる「美術の森の番人たち」です。追懐というのは妙なもので、こうして「あとがき」を前にして、書くきっかけをもてなかった人たちの顔がいく人も想い起され、どうすべきかを散々迷いましたが、結局、諦めることにしました。

ところが何かと気になったのは、I章の土方定一門下の人たちのことはともかく、肝心要の師のことには触れませんでした。どうしてかというと、拙著『芸術の海をゆく人　回想の土方定一』（みすず書房、二〇一六年）があり、同書中にはまた、ここに紹介すべき美術の森の番人たち（編集者）のことを書いてあったので、あえて一文をもって触れることは控えることにしたのです。

その意味ではやはり拙著『その年もまた――鎌倉近代美術館をめぐる人々』（かまくら春秋社、二〇〇四年）と、『鞄に入れた本の話――私の美術書散策』（みすず書房、二〇一〇年）も同様です。本書には、この二著のなかから数人を選んで収録しました。

＊

書名を「美術の森の番人たち」としましたが、この「番人」という言葉について、ちょっと説明をしておきたい。

じつは、わたしの書架に『兄の番人』宮田恭子訳（みすず書房、一九九三年）という本があったのをたまたま想い起こしたのがきっかけです。ジェイムス・ジョイスの弟スタニスロース・ジョイスが、兄について書き遺した本で、T・S・エリオットが序文を寄せています。

『兄の番人』という表題は、もともとは旧約聖書（創生期第四章）のカインとアベルの話によっているらしい。訳者によると、ジョイス兄弟の場合は、兄と弟の関係が逆になっていて、兄の面倒をみる役目を担った弟、つまりスタニスロースが、自分を「兄の番人」と見做したというほどの意味のようです。

――この「番人」と称した言葉を拝借したというわけです。

＊

本書の刊行は、『鍵のない館長の抽斗《ひきだし》』（二〇一五年）、次の『片隅の美術と文学の話』（二〇一七年）につづく、わたしの三冊目のエッセイ集です。

こんども また求龍堂社長の足立欣也氏の寛大なはからいと、こころのこもった本づくりをしてくれる清水恭子編集部長にお世話になりました。そして「対談　匠秀夫について」の転載を快く了承して下さった沖積舎の沖山隆久氏にもこの場をかりてお礼を申し上げ、また村井正誠記念美術館館長の村井伊津子さんにお願いして、わたしが久しく敬愛してきた画家・村井正誠氏の作品によって本書を飾ることができたことを大変嬉しく思っています。

二〇二〇年春

小坪の仮寓にて　著者識

酒井忠康（さかい・ただやす）

一九四一年、北海道生まれ。慶應義塾大学文学部卒業。一九六四年、神奈川県立近代美術館に勤務。同美術館館長を経て、現在、世田谷美術館館長。『海の鎖 描かれた維新』（小沢書店、一九七七年）と『開花の浮世絵師 清親』（せりか書房、一九七八年）で注目され第一回サントリー学芸賞受賞。主な著書に『若林奮 犬になった彫刻家』（みすず書房、二〇〇八年）、『早世の天才画家』（中公新書、二〇〇九年）、『彫刻家との対話』（未知谷、二〇一〇年）、『鞄に入れた本の話』（みすず書房、二〇一〇年）、『ダニ・カラヴァン』（未知谷、二〇一二年）、『覚書 幕末・明治の美術』（岩波現代文庫、二〇一三年）、『ある日の画家 それぞれの時』（未知谷、二〇一五年）、『鍵のない館長の抽斗』（求龍堂、二〇一五年）、『芸術の海をゆく人 回想の土方定一』（みすず書房、二〇一六年）、『片隅の美術と文学の話』（求龍堂、二〇一七年）、『展覧会の挨拶』（生活の友社、二〇一九年）などがある。

美術《びじゅつ》の森《もり》の番人《ばんにん》たち

発行日　二〇二〇年一〇月一九日
著　者　酒井忠康（さかい・ただやす）
発行者　足立欣也
発行所　株式会社求龍堂
東京都千代田区紀尾井町三-二三
文藝春秋新館一階　〒一〇二-〇〇九四
電話　〇三-三二三九-三三八一（営業）
〇三-三二三九-三三八二（編集）
https://www.kyuryudo.co.jp

装幀　求龍堂
編集　清水恭子（求龍堂）
印刷・製本　株式会社シナノパブリッシングプレス

ISBN978-4-7630-2024-6 C0070